半藤一利と宮崎駿の

腰ぬけ愛国談義

文春ジブリ文庫

はじめまして

宮崎　はじめまして。こんな遠く（東小金井のアトリエ）までわざわざお越しいただきまして、どうもありがとうございます。

半藤　いやいや。こちらこそ、はじめまして。雨の中をお迎えいただきまして恐縮です。じつは私、宮崎監督の映画は『となりのトトロ』と『紅の豚』しか見ておりませんで、監督作品については語る資格のない人間なんですよ。それでもかまわないということでした。そこで零戦の設計者堀越二郎を主人公にした宮崎監督の最新作『風立ちぬ』を観る前に一回、そして観てからもう一回と、二回にわたって長時間のお話ができるということで、こうしてノコノコやってきたのですがね。さて、いったいどんな話になることやら。楽しみにして参りました。

宮崎　ぼくは、かねて半藤さんにお目にかかりたいと思っておりましたので、ほんとうに嬉しいです。

半藤　宮崎監督は、昭和十六年（一九四一）生まれですよね。

宮崎　ええ、そうです。

半藤　ということは、今年で……。

宮崎　七十二歳です。散歩していると、カーブミラーがありますね。そのなかに歩いている自分を見てびっくりするんですよ。「あ、ジジイが歩いてる」(笑)。

半藤　いやいや、私も最近よくあるんですよ。お店のウィンドウに映る老いぼれを見て、「だれだこのジジイは」……、「なんだオレじゃねえか」ということが(笑)。夏目漱石も、ロンドンの街角を歩いていて、「向こうから妙な顔色をした一寸法師が来たと思ったら、何の事はない、姿見に写った余自身の姿だった」というような経験をしていますね。

宮崎　ぼくは、三十歳ぐらいで初めてヨーロッパに行ったときに、スウェーデンのストックホルムだったんですけど、向こうから黒いものが歩いてくるなと思ったら、自分でした(笑)。

半藤　この月曜日、私、病院へ行って検診なるものをしましてね。すると胃の中にピロリ菌がいることがわかったんです。これは排除しないと胃がんになると医者がいう。そうしてしみじみと私の顔を見て、「あなた、昭和五年生まれの八十三歳ですよね」と。「だったらもう放っておきましょうか」ですって（笑）。医者にも「もはやこれまで」と見放されています。

宮崎　アッハッハッハ。でも、お元気ですね。

半藤　カラ元気ですよ。

目次

はじめまして……003

第一部　悪ガキたちの昭和史

第二部　映画『風立ちぬ』と日本の明日

第一部

悪ガキたちの昭和史

共通点は漱石好き

半藤　聞くところによると、宮崎さん、拙著をずいぶんお読みくださっているとか。ありがたいことです。

宮崎　いま漱石のお話をされたから言うわけじゃありませんが、じつは、半藤作品のなかでぼくがいちばん好きなのは『漱石先生ぞな、もし』(文春文庫)なんです。

半藤　そうですか。あれは、私がまだ文藝春秋の社員時代に手作りでこしらえていた「豆本年賀状」というものから生まれた一冊なんです。当時はまだサラリーマン稼業をしておりましたので正月休みをつかって原稿を書いて、読者限定の豆本年賀状を毎年出していました。

宮崎　年末年始の短い時間によく書かれましたね。

半藤　ええ。正月休みのあいだに書いて、旧暦の正月までのひと月足らずで本にして、年賀状をくれた人に送っていたんです。というのは、編集長になってから は自分で記事を書く機会が減ってきて、書かないと腕が落ちるような気がしてきましてね。要するに趣味と実益を兼ねてはじめたわけです。最初のころは四百部ぐらいでした。それが、人気が出たのかどうか知りませんが、だんだん増えまして、おしまいごろは八百五十部もの部数になっちゃいました。昭和五十五年（一九八〇）から平成七年（一九九五）までの十六年間。途中で一回喪中になったので休んで、文庫版で十冊、新書版で五冊です。つくるのは趣味でもありましたから楽しいのですが……。

宮崎　送る手間がたいへんでしょう。

半藤　そうなんです。封筒に入れて宛名を書いてそれに切手を貼って封をして出しに行く。家内と二人、夜なべ仕事でした。まあ、金もかかりましたけどね。

宮崎　そっちのほうが大変で。そのうちの一冊が『漱石先生ぞな、もし』なんです。

半藤　なるほど、そうでしたか。ぼくはあるとき『草枕』の舞台となった熊本の小《お》天《あま》温泉にどうしても行きたくなってしまいましてね。社員旅行のときに「熊本に行こう！」と言い張って（笑）。二百何十人で出かけて行ったことがありました。

宮崎　へェー、そうでしたか。漱石は、熊本五高の教員時代に同僚と二人で小天温泉を訪れて、前田家別邸の離れに宿泊して数日のんびり過ごしているんですよね。この小旅行を素材にして九年後に書いたのが『草枕』でした。たしか明治三十年（一八九七）の暮れから翌年の正月にかけてのことでしたかな。

半藤　ええ、そうですね。念願かなって行ったのですが、物語にでてくる峠道を歩くことはできませんでした。時間があまりなくてバスで行ってしまったものですから。

宮崎　それは残念でしたね。

半藤　物語の最後のところで、吉田の停留場《ステーション》まで川舟で川を下りますでしょう。あの川にはなんとしても行ってみたいと思ったのですが、ところが地図をいくら調べてもない。ここに川があるはずなのだが、と思ってみても、ない。

半藤 あれはつくり話なんです。漱石が自分でも描いた山水画の世界です。

宮崎 はい、みごとに騙されました。現地に行くしかないと、はりきって行ったものですからガックリしました。ぼくも嘘をつく商売をやっているのですが、まんまとやられてしまいました（笑）。

半藤 たしかに、漱石は嘘のつきかたが巧いから騙されますよね。

宮崎 ええ、ほんとに。いずれにしましてもぼく、『草枕』が大好きで、飛行機に乗らなきゃいけないときは必ずあれを持っていくんです。どこからでも読めるところも好きなんです。終わりまで行ったら、また適当なところを開いて読んでりゃいい。ぼくはほんとうに、『草枕』ばかり読んでいる人間かもしれません（笑）。専門家からの評価が高い『それから』以降はどうも苦手です。ですから、漱石のいい読者ではないんですけれど。

半藤 『それから』以降と言えば、私もつい最近、ある出版社から『行人』を文庫にするので解説を書いてくれないかと頼まれたのですが、もう一言の下に断りました。「私は『行人』は好きじゃないから書きません」と。『それから』以降が苦手というのは私とおなじですね。

そもそもが私は文庫に解説を入れることに反対でしてね。解説者が「この作品はこういうもんだ」と決めつけるのはまことによろしくない。その、いちばんよくない例が漱石の文庫（旧版）なんです。ごぞんじのとおり漱石の岩波文庫には小宮豊隆が解説をダーッと書いておりますが、小宮豊隆はもう何でもかんでも「則天去私」だと言い募る。「天地自然の法則に従う」だの「宗教的悟り」だのなんだのと。そのうちに、「則天去私」と言わないと漱石を論じたことにならなくなってしまいました。そんなつまらん話はないですよ。まあ、それはともかく。『草枕』は一種のファンタジーです。漱石がつくりだした桃源郷と言ってもいい。

宮崎　惨憺たる精神状態のときに書いたものだと言われるけれど、だからこそいいものになったような気もします。

半藤　おっしゃるとおり『草枕』は、ノイローゼがいちばんひどかったときの作品なんですね。

宮崎　ぼくは漱石の作品より、漱石そのものが好きになってしまったと言えるかもしれません。

半藤　漱石を調べると、漱石その人が面白くなる。その気持ちはよくわかります。

宮崎　ごぞんじのとおり、漱石記念館がロンドンのテムズ川の南、チェイスというところにあります。漱石はロンドン留学の二年間で下宿を五回も変えています。一九八四年にできた記念館は、その最後の下宿の向かいなんです。館長の恒松郁生さんが漱石記念館の設立を思い立ったとき、じっさいに漱石が暮らした下宿は値段が高すぎてまったく手が届かなかったそうでして。けれど諦めきれずに、漱石が暮らした下宿の建物の向かいにある、おなじ格好をした家の二階を買ったのだという。記念館に足を踏み入れたとき、ぼくはもうそれだけで胸がいっぱい。なにかもう、「漱石さん、あのときはご苦労さまでした」って感じで。

半藤　私はロンドンには行っていないのですが、はあ、そうですか。漱石の下宿の向かいでそんなに感動された？

宮崎　ええ、まあ。トイレが二階に上がる階段の途中にありまして。向かいの建物ですから要するに違う建物なんですが、そこに入ったら、なにかもう、それだけでぼくは胸が……。

半藤　ほんとうに漱石がお好きなんですね。

宮崎　ロンドンではテート・ギャラリーの、漱石が足しげく通ったというターナーとラファエル前派の部屋にも行きました。絵を前にして立っていると、ああ、ここに漱石が立っていたに違いない、と。そのなかに羊の群れが丘の上でたわむれている絵がありまして、ああ、これがきっと、『三四郎』の「ストレイシープ」だなんて思って、また胸が（笑）。

半藤　そうですか、そうですか。

宮崎　そういえば半藤さん、なにかに書いておられましたが、『坊っちゃん』は、東京大学の教授会と喧嘩した勢いで書いたパロディ小説ではないか、と。つまり東大のバカバカしさを皮肉ったのではないかと推察しておられます。ぼくも、何も知らないくせに、そうに違いないって決めちゃいました（笑）。

半藤 どう考えてもそうとしか思えないんですよ。『坊っちゃん』は、明治三十九年（一九〇六）の三月下旬に、たった一週間で書き上げた小説です。漱石は『吾輩は猫である』で世にでるのですが、『吾輩は〜』は全十一章で、十章を書き上げたのが明治三十九年の三月半ば。その直後に急に思い立ったように『坊っちゃん』を一気に書いているんです。

宮崎 ふつう、あとちょっとで完成ならば、そのまま続けて書いて完成してから新しい小説にとりかかるはずですよね。

半藤 そう、これはきっとなにかあるに違いないと、ピーンときて調べてみたんです。そうしましたら、その年の二月に東大の入学試験がおこなわれていました。東大の教授会は夏目金之助（漱石）講師を試験委員に選ぶんです。けれど夏目講師、「オレは忙しいからお断りする」と言ったものですから、大騒ぎになったんですね。

宮崎　ふつうはあり得ないことなのですか？

半藤　大学の先生を続けるつもりならば、教授会の言うことを拒否するなんてことは、まずしないはずです。出世の道を自分で閉ざすようなものですからね。でも漱石は、「教授会は面倒なことを講師に押し付けている。試験問題をつくるのは教授会なんだから、問題をつくった人間が採点をするのが正解だ」と言って突っぱねた。「引き受けたらいいじゃないか」と忠告する人もいたのですが、自分の意思を押し通した。『坊っちゃん』を書き出したのはそのときなんです。

「そうだ、松山中学時代の体験を後ろにおいて、御大名風、御役人風、形式主義になっているこの東京大学という学問の府がいかにバカバカしいものか、それを書いてやろう」と思ったに違いないです。

宮崎　その推察、きっと間違いないと思います。

半藤　「赤シャツ」という人物が小説にでてきますが、金鎖の時計を提げて、赤い表紙の『帝国文学』という本を小脇に抱えて「ホホホホ」と笑うような先生が東大にはきっといたんですよ。松山にいたはずはない。でもまあ漱石さん、頑固なオヤジです（笑）。

これもごぞんじかもしれませんが、私の家内が漱石の孫娘でして、彼女の母親が漱石の長女、筆子です。筆子は漱石門下の作家、松岡譲と結婚しますが、松岡の死後、私の家へ引き取った、というとおかしいんですが、来てもらいましてね、二十年近く一緒に暮らしました。これはまだ来てまもなくのことですが、「お父様はどんな人でしたか」と尋ねますと、筆子さん、ちょっと口ごもり、「それはまあ、コワーイ父でした」といいましたが、ほんとうは「狂人です」といいたかったのだと察しました（笑）。これが第一声ですからね。そうとうへんな親父だったことは間違いないみたいですよ。

筆子よりずっと年下の長男、次男の近所の友だちが、ときおり遊びに来て家のなかで鬼ごっこなんかをするんだそうですよ。機嫌のいいときは、自分が原稿を書いているそばで鬼ごっこをしていても平気。隠れる子どもが、文机に向かっている漱石のあぐらの中に入ってきても黙って入れておいて、そのまま知らん顔で原稿を書いていたそうです。調子のいいときは全然頓着しない、ものすごくいいお父さん。だけどそうじゃないときは、いわく「キ」の字だったんじゃないですか。

宮崎 僕もときどき小狂人になります。

半藤 やっぱりね。写真で拝見すると宮崎さんは、たいがいニコニコされていますが、仕事に向かうとこの人も相当、とニランでいたんです（笑）。

宮崎 ぼく、『三四郎』にも感心します。見事だなあと思ってしまいます。あるとき新聞一回分の連載はどこで終わるんだろうと気になりましてね。どこで終わったら、ドキドキして終わることができるのかと、推理して、文庫本に線を引っ張ったりなにかしたこともあるんです（笑）。

半藤 おやりになったこと、あります？

宮崎 あります。

半藤 私もじつは、それ、やったことがあるんですよ（笑）。私の場合は『三四郎』ではなくて『それから』でしたがね。

宮崎　あ、そうですか。

半藤　十数年前に新聞連載の体裁そのままの本が出まして（『漱石新聞小説復刻全集』ゆまに書房）、私のところに送ってきたので、自分で区切りを見当つけた『それから』と合わせてみたんです。正解率は、点数でいうと残念ながら六十五点ぐらいでしたね。狙い定めてやってみたんですが。

宮崎　ぼくの『三四郎』はきっと二十三点ぐらいだと思います（笑）。

半藤　一回一回、どこで終わっているか。漱石さん、けっこう意識しているんです。あんな何もかまわないような人だけど、やっぱり意識はして物語をもりあげているみたいでした。

宮崎　たしかに、ヤマ場が来て次はどうなるんだろうと思っていると、やっぱり終わるんですよ、ちゃんと。それにしても、半藤さんもやっておられるとは。我ながら、バカなことをやっているなあ、と思いながら線をひっぱっていたものですから（笑）。

半藤　いや、ちょっとやりたくなりますよ。

宮崎　あの当時、地方にいた学生は、『三四郎』を読んだら東京に行きたいと思ったでしょうね。美禰子みたいな女性と知り合いになって気の利いた会話をしてみたいなあって(笑)。『それから』以降はクラクラします。ぼくはもう、胸が張り裂けそうになって読めなくなるんですよ。面白いのですが、もう、耐えられなくなってしまうんです。ですからぼくは、小説読みじゃないんです。

半藤　私も、いい小説読みじゃないなと思います。なぜ『こころ』が面白いかわからない。『こころ』はだいたい、大前提の三角関係というのがへんですよ。女の人が男に思われていることに気づかないなんてこと、ないでしょう。女ってものは、心得ていますよ、二人の男に思われていることぐらい。

宮崎　ですね。

半藤　わからないはずは金輪際《こんりんざい》ないんです。

宮崎　ほんとにそうです。そんなバカな話はありません。

半藤　もう一つ文句をいえば、遺書がムチャクチャ長いでしょう。じつは朝日新聞が、志賀直哉につぎの連載小説を頼んでいたのですが、志賀直哉が書けなくなっちゃったんですね。で、なんとか延ばしてくれと頼まれて、漱石は、じゃあ志賀さんの原稿ができるまで延ばすかというんで、遺書を延々と延ばしたんですよ。だからまあ、なんですか、あの遺書の長いこと。こんな長い遺書を書けるくらいなら、ふつう死なないんじゃねえかと（笑）。だけど、そういうことを考えるやつは、小説読みじゃないです（笑）。

宮崎 だからだめなんです。ほんとにぼくはだめです。でも、『草枕』は大好きですね。

半藤 『草枕』は傑作だと思いますよ。

宮崎 ええ、ほんと、そうですね。

半藤 これは私、呑んだときによくしゃべることなんですけどね。『草枕』という小説は、若い頃につくった俳句を引っぱり出してきて、漱石はそれを眺めながら、うん、こいつを使おうと考えた。それら俳句に詠んだ描写を書いているんです。たとえば一章の、有名な陶淵明の、「菊を採る東籬《とうり》の下《もと》、悠然として南山を見る」の詩を引いて、漱石はわけのわからないことを書いています。「垣の向うに隣の娘が覗《のぞ》いてる訳でもなければ、南山に親友が奉職している次第でもない」と。何で娘が覗くんだよと最初に思いましたが、漱石の俳句集をみていたら、十年前につくった俳句に、なんと「鶯や隣の娘何故のぞく」という駄句があるじゃありませんか。なるほど、早速これを使ったな。ざっとこんな具合です。ですからあの小説は、漱石自ら「俳句小説」だといっていますね。どこから読んでもいい、と。筋なんかどうだっていい。

宮崎 そういえばはじめて読んだとき、主人公の青年は絵描きなのに、なぜ俳句ばかり詠んでいるんだろうと不思議に思ったのを思い出しました（笑）。でも、いや、ぼくは『草枕』は好きです。何度読んでも好きです。宣言してもしようがないんですけど（笑）。

半藤 それにあれは、絵画的世界でもありますね。

宮崎 那美さんが川舟のなかで、スッと春の山をゆび指すでしょう。「あの山の向うを、あなたは越して入《い》らしった」と。とてもきれいなんです。絵にしたいんです。でも自分の画力では絵にできません。

隅田川の青春と朝鮮戦争

宮崎 これもまた半藤豆本から生まれたという『隅田川の向う側』（ちくま文庫）。この本も好きです。ぼくのオヤジが両国の生まれ育ちなんです。震災記念堂（現・東京都慰霊堂）の裏側の亀沢町で大正三年（一九一四）に生まれて七十九歳まで生きました。ちかくに親戚の家もありましたので、なんとなくあのあたりは懐かしい感じがあります。

半藤 あ、では、向島あたりも詳しい？

宮崎 いや、向島は詳しくはないです。詳しくはないのですけど、懐かしいんです。隅田川の岸が、直立堤、いわゆるカミソリ護岸になってしまってからは、もうとりつくしまもないような川になってしまいましたが、半藤さんは青春時代に、そんなふうに醜く姿を変える前の隅田川の上で、ボートを漕いで過ごされて、ほんとうに羨ましいなと思います。

半藤　私は、旧制長岡中学から昭和二十三年（一九四八）に旧制浦和高校へ進んではじめてオールを手にしまして、昭和二十八年に大学を終えるまで隅田川の上でボートを漕ぎました。隅田川も、二十四年、二十五年、ぐらいまではよかったんです。水もきれいで魚も泳いでいました。ボートを漕いでいますとポシャーンと江戸前のハゼやボラが船のなかに入ってきたりしましてね。ところが昭和二十五年の終わりぐらいから……。

宮崎　もう二十五年からだめでしたか。

半藤　ええ。朝鮮戦争が始まって間もなくだめになりました。

宮崎　朝鮮戦争が始まると、あちこちにあった空襲のガレキがあっという間に消えたそうですね。

半藤　蔵前橋の西側、蔵前工業高校に山のように積まれてあった戦災の焼けトタンがあれよあれよという間に消えたのをおぼえています。軍需資材として使われたのでしょう。米軍からの特需でクズ鉄の値段が急騰したんですね。ですから朝鮮戦争というのは、戦後日本をある意味では救ったのですが、いっぽう日本の自然をぶっ壊す最初のきっかけだったのではないかと思います。戦争特需に沸いて以降は国を挙げての大忙しとなりました。

宮崎 『隅田川の向う側』のなかに、新河岸川《しんがし》から工場排水が隅田川に入ってきたとあったように思いますが、それも朝鮮戦争が始まってからのことですか。

半藤 そうです。朝鮮戦争が始まって工場がどんどんできたんですね。

宮崎 新河岸川の支流が、ぼくが住んでいる所沢を流れているんです。ですからそんな上流からもう汚かったのかと。

半藤 いや、川上の岩淵水門の下の新河岸川の川べりにできた工場からの排水が隅田川に流れ込んで、さらに下流の荒川区尾久《おぐ》にかけて汚濁がひどくなったのです。尾竹橋、小台《おだい》橋、ついには私の故郷、向島のほうまでそれが来た。昭和二十六年(一九五一)にはもう泥水でしたね。

宮崎 ああ、そうでしたか。そういえば昭和三十年(一九五五)くらいだったか、隅田川にもボコボコと泡が浮くようになった時期がありました。

半藤　いまは隅田川の水も、だいぶきれいになりましたがね。そうそう、あのころ隅田川には土左衛門がじつに多かったんです。死のうと思っている人も水が綺麗かどうか選ぶんでしょうか。土左衛門の収容については水上警察の縄張りがありまして、ちょうどわが向島の、ボートの艇庫のあったあたりが微妙な境目なんです。しかも艇を上げ下ろしする船台《せんだい》の杭に土左衛門が引っかかる。白鬚《しらひげ》橋より上流の、石浜神社裏の水上警察交番に、ボートを漕いでいって届け出ると、くわしく位置をたしかめられて「そりゃ、あっちの管轄だよ」と断られたりしましてね。やむなく川を下って松屋の対岸の、アサヒビールの前の交番に届けると、土左衛門のヤッコサン、潮の都合で石浜神社裏の管轄に流れ出していた、浮いていてもなかなか浮かばれない（笑）。

宮崎　ああ、潮の満ち引きで行ったり来たりするのですね。

半藤　ええ。隅田川はけっこう潮の流れがありましたから。

宮崎　今は島みたいになっている岩淵水門、あそこにもよく流れ着いたと聞いたことがあります。

半藤　あそこにもずいぶん流れ着きましたね。岩淵水門で思い出しましたけど、昭和二十六、七年ぐらいにバラバラ（殺人）事件があった。

宮崎　ああ、ありました、ありました。

半藤　内縁の旦那を殺した奥さんが、戸田橋からバラバラにした旦那の死体を投げたという。水上警察の刑事が私たちの合宿所へ夜訪ねてきまして、バラバラ死体を探してくれっていうんです。

宮崎　合宿所というのはどのあたりにあったんですか。

半藤　隅田公園十八番地。破壊的な地番改正のせいで、とっくにこの番地はなくなりましたが、言問団子《ことといだんご》さんの裏手に艇庫があって、それに隣接して合宿所があったんです。やってきたおまわりさんがいうには、「そのまま荒川放水路のほうへ行くか、岩淵水門を潜って隅田川へ来るか、わからない。キミたちは両方で漕ぐだろうからよく見てさがしてくれ」と。

宮崎　ふ～ん。で、見つかりましたか。

半藤　漕ぎながらずいぶん気にしましたけど、だめでした。荒川放水路の堤は永井荷風もやたらに散歩していて、景色のよろしいところだったらしいですけど、私たちは歩かずに下のほうで漕いでいましたからね。ですから、こうして土左衛門の捜索までやらされたりして（笑）。

宮崎　『隅田川の向う側』を読んでいると、半藤さんが川筋をじつにくわしくご存知なのに驚きます。それはやっぱり、川でボートを漕いでいたからでしょうね。上り下りして、ここになんとか橋があり、ここに何という建物があり、そしてビール工場があり、という具合に。

半藤　そうですね。昔は川面から隅田川両岸が、よーく見えたんです。

宮崎　今度の映画（『風立ちぬ』）で関東大震災後の隅田川を描かなきゃいけなくなったので、「よしッ、浅草の松屋デパートを描けるゾ」と思っていたんですよ。あれが復興のシンボルになるんだろうと勝手にイメージしていたら、時代がずれていたことがわかりましてね。残念ながら描けなかった。そのいっぽうで、松屋のちかくに東武電車の鉄橋がありますよね。こっちはもうできていたというのに描き忘れてしまいました。けっきょく近代的な建築物がなんにもないので、江戸時代みたいな絵になっちゃった（笑）。

半藤 東武鉄橋はたしか昭和六年（一九三一）にできているんですよ。

宮崎 そうでしたか。じゃあ描かなくてもよかったんですね。関東大震災は大正十二年（一九二三）九月一日ですが、描く場面はそれから七年後の昭和五年（一九三〇）の設定だったんです。まあ、風俗・時代考証をまじめにやっていない映画なので、しようがない、いいやって（笑）。

半藤 東武鉄橋ができた年など、いまや知る人ぞ知る、というようなもんですがね。でもいちおう名物なんですよ。

宮崎 そうですね。ホントは鉄橋まで外したのはまずかったなと、描いときゃよかったと、後悔しておりました。

半藤 言問橋から東武の鉄橋まで、あの間が三〇〇メートルなんです。

宮崎 あ、そうですか。

半藤 私たちは、その三〇〇メートルを一分で漕ぐというのを練習の目標にしていました。ところが、なかなか一分では漕げないんです。一分三秒とか、一分五秒とか。まれに一分を切るなんていうことがあると、「ヤッタァーッ」てなことになるんですよ。ですから、東武鉄橋はとりわけ忘れ難い。

宮崎　三〇〇メートル、一分。時速だと一八キロになりますかね。

半藤　そうですね。一八キロぐらいですね。

宮崎　そうすると、一〇ノット弱。すごいスピードですね。

半藤　宮崎さんこそすごい。ノット換算がすぐにできるとは。

日露戦争と建艦競争

宮崎　いやいや。しかし、ベネチアのガレー船は、高速船だというのにたった五ノットだったんです。

半藤　ほう、そんなもんでしたか。

宮崎　帆船なんてもっと遅かったんですね。

半藤　一〇ノットでふーと思い出しました。二〇一一年からえんえんと書きついでいる『日露戦争史』（平凡社）のなかで、ちょうど二、三日前に書き終わったところなんですが、日本海軍の連合艦隊司令部は、バルチック艦隊が一〇ノットで来ると考えた、という話をちょっといたします。

北海から遠路、極東ロシアの軍港、ウラジオストクを目指すバルチック艦隊は、いまのベトナム、当時の仏領インドシナのヴァン・フォン湾を出港して北上してくるのですが、太平洋側に迂回して津軽海峡を通るか、東シナ海をまっすぐ北上して対馬海峡を通るか、北海道東部をまわって宗谷海峡を通るかという予測をめぐって、連合艦隊が大もめにもめるわけですね。

バルチック艦隊が一〇ノットで来るとしたら、五月の二十二日か二十三日、遅くとも二十四日に来るという計算になる。ところが来ない。それで大騒ぎになった。バルチック艦隊は対馬海峡へ来ない、津軽海峡に向かったに違いないという判断をして、連合艦隊司令部は全軍が北海道に移動する、対馬海峡での待ち伏せをやめて北上するということを決定します。

宮崎 あ、決定しているんですか、あれは。

半藤　そうなんです。そして、「密封命令」という、封筒に入れた命令を出して全軍に配るわけですね。ところが、「密封命令」といっても、これ、封筒に入れるだけ、封はしてないんだそうです。ですから開いて眺めることはできるんですね。それを眺めたほかの艦隊の参謀長が、連合艦隊司令部は大間違いをやっていると。こんなことをしたら敵を取り逃がしちゃうからというんで、意見具申をする必要があると決意した。特別に許可を得て、旗艦三笠に乗り込んで行って、連合艦隊の参謀を相手にものすごい大激論をやるんですね。そのときの計算が、いまのお話の一〇ノットでは来ないと。せいぜい八ノットか七ノットぐらいだと。

宮崎　そうでしょうね。うん、そうだと思います。

半藤　七ノット、八ノットぐらいだから、二十四日には来ない。来るとすれば、二十七日か二十八日か二十九日、このぐらいなんだと、大激論するんです。結局、いろんなことがあったんですが、東郷（平八郎）さんが、その密封命令を開ける日を一日延ばすんです。それが成功しました。開ける直前にロシアの石炭船が上海の港に入ったという通知が上海から来るんですね。そうすると、「なんだ、まだ東シナ海にいるじゃないか」ということになって、北上指示の「密封命令」は廃棄せよとなった、という話があるんですよ。

宮崎 それ、初耳です、ぼくは。そうすると、秋山真之《さねゆき》の作戦成功譚とか、ずいぶん違ってきますね。

半藤 事実は違ったとしても、物語としてはそういうものにされていきます。

宮崎 その乗り込んでいった参謀長がたいしたもんですね。

半藤 ええ。ですから、乗り込んできた参謀長が結果的には大功績者なんですけれども、全部その功は伏せて、はじめから連合艦隊は不動であったという「神話」をつくるんですね。

宮崎 日露戦争の挿話はみんなかっこよすぎますからね。水野広徳の『此一戦』なんかを読んでいても講談話みたいです。

半藤 そう。英雄譚はだいたいそういうもんですね。ところでノットといえば、飛行機の速度もノットで数えますね。

宮崎　ええ、艦船も飛行機も、海軍はノットです。

半藤　なぜなんでしょうか。

宮崎　いずれも海図を拠り所にしているからです。海軍の飛行機乗りは推測航法で飛ぶしかないから、ノットのほうがわかりやすかったのかもしれません。

半藤　戦史を私はずいぶん書いてまいりましたが、あれは大迷惑でしてね。記録に残っている速度がノットですから、一・八五カケルコトノ……なんていちいち計算させられまして。

宮崎　ぼくもしょっちゅう暗算しました。飛行機が好きでしたから。で、三〇〇ノットだと五五五キロだとか。ついに対応関係をおぼえてしまいました。

半藤　そりゃ、やっぱりたいしたもんだ。

宮崎　バルチック艦隊の話で思い出したんですけど、降伏した艦とか、旅順港で沈んだ艦を分捕りますよね。あれらを日本海軍は直しているんですよね。

半藤　ええ。もう徹底的に直しています。

宮崎　で、戦艦に仕立ててますでしょう。

半藤　名前を変えて使っているんです。日清戦争のときに戦利品として清国から分捕った艦《ふね》は、そっくりそのまま日露戦争で使っていました。日本海海戦でも活躍します。次の日露戦争のときは、「ニコライ一世」と「アリヨール」という戦艦を二つ分捕りまして、これも名前をつけ替えて連合艦隊に加えているんです。前者が壱岐《いき》で、後者が石見《いわみ》。

宮崎　そうですね。だけどあれはそうとうな旧式艦でした。旧式であろうがおかまいなしに、ともかく艦数を増やしたということは、おそらく役職を増やすことにつながっているのでしょうね。

半藤　そのとおりです。戦争に勝ったあと、日本の海軍は大ぶくれにふくれちゃった。艦の数の増加は、乗り組む人間を必要としますから、どんどん人間を増やしてポストも増えた。そして海軍はだんだん所帯が大きくなって小回りの利かない組織になっていくんです。

宮崎　太平洋戦争開戦時の日本の戦艦は十二隻でしたか。大和、武蔵、陸奥、長門、扶桑、山城、伊勢、日向、金剛、比叡、榛名、霧島。あの城郭型といわれるすごい艦橋は、あれ、役人根性でデカくなったのでしょうね。

半藤 そうだと思いますね。

宮崎 あいつらがこの高さにいるなら、おれたちはもっと高いところ、高いところって。あの艦橋の高さは日本海軍がだめになった証拠だと思います。

半藤 「軍船檣頭《しょうとう》」というんですけど、帆船なんかでも帆柱の突端をだんだん高くしていったんです。ほかの船より少しでも高くと。

宮崎 情けない話で、あれを見るたびに、係長がいっぱいいる町役場みたいな、そういう組織に日本の海軍はなっちゃったんだなあ、と思います。

半藤 ええ。ただしそれは日本海軍のみならず、でしてね。南北朝鮮の境界線の板門店へ行ったときに、会談する机の真ん中に立っている北朝鮮の旗と国連軍の旗がものすごく高いのでびっくりしました。よくよく見ると、北朝鮮のほうがほんのちょっとだけ高いんですよ。国連軍の説明係が言うには、こっちがちょっと高くするとむこうは必ず一センチくらい高くするというんですね。で、負けるもんかと高くし合っているうちにこんなになっちゃったと（笑）。

宮崎 ああ、いまもあそこでは、大いにバカバカしいことをやっているわけですね。

半藤 ちょっとでも自分を高くしたい、と、そういうもんらしいですよ。

宮崎 う~ん。

半藤 「大和」だって、あんなに高い艦橋をつくらなくたってよかったんじゃないですか。

宮崎 そうですよ。日本の巡洋艦はかっこいいなと思っていたんですけど、あるとき本を読んでいたら、なんて醜い艦だと外国の船乗りたちにあざ笑われていた、と書かれていましてね。ほう、そうだったか、とびっくりしました。

半藤 いやいや、非常にかっこいいですよ、日本の巡洋艦は。

宮崎 と思いますでしょう? ぼくもそう思っていたんです。ブレジネフ時代のソ連の艦が、もうほんとに悪魔の巣みたいな貌《かお》なんですよ。「キエフ」だったか「ミンスク」だったかそんな名前でしたけれども。ソ連の人達にはかっこよく見えたのかもしれないけど、攻撃的でいやな感じがしました。日本の艦も他国人から見ると醜い艦に見えるものなのか、とそのとき思いました。

それで、もう一回見てみると、ああ、たしかに飢えたオオカミのような、攻撃的な貌をしていると思いました。

半藤　本来、軍艦というのは面白いもので、軍艦を軍艦らしくつくれば獰猛な攻撃的な形になるんだそうです。

宮崎　そうなんですね。

半藤　ところが、日本の軍艦は、どうもそれじゃ気に入らないらしいです（笑）。乗るやつが。もう少しかっこよくしてくれ、と要求したんです。

宮崎　ああ、それで大和と武蔵ができたんですかね。半藤さんは、やっぱりかっこいいと思っていますよね？　ぼくは、かっこいいと思う自分と戦ってきたんです（笑）。かっこいいと思ってはいけないんじゃないかという、そういう気持ちがどこかにありましてね。もっと平和な顔をしている軍艦をつくっている国のほうが、やっぱり懐が深いんじゃないか、と。よくわかりませんが。

半藤　あらかじめ申し上げておきますが、私はどっちかというと軍艦野郎です。飛行機野郎ではないんですよ。飛行機はあんまり好きじゃない。なぜ軍艦野郎になったかというと、やっぱり子供のころに写真なんかで見てかっこいいと思ったからです。戦艦はあまりかっこいいとは思いませんが、駆逐艦がかっこいいと思った。忘れもしない昭和十一年（一九三六）六月、駆逐艦「夕立」の、横須賀での進水式に、親父に連れて行ってもらって、まちがいなくこの目で「夕立」を見たんですよ。六歳でした。ドッドッドッズズズーッと海の上へ進んで行くときに、ああ、かっこいいなあと、もう見惚れましたね。それ以来です、軍艦が好きになったのは。

宮崎 そうでしたか、「夕立」を。そういえば帝国海軍の駆逐艦というのは優美な名前がいっぱいついているんですよね。「東雲《しののめ》」とか「朝凪」とか「初霜」とか「春雨」とか。

半藤 艦長さんによっちゃ、「情けない名前の艦はイヤだなあ」と思った人もいたらしいです。

宮崎 「竹」とか「桃」とか「梅」とか「桑」とか、そういうのもありましたね。

半藤　それらは「雑木林」と呼ばれた「松型」駆逐艦でして。たしかに少々弱っちい感じがしますねえ（笑）。いっぽう陽炎《かげろう》型駆逐艦というのはよくできている艦で、太平洋戦争でいちばん活躍した駆逐艦は、「陽炎型」じゃないでしょうか。十六隻就航しましたが、これが戦場に出ずっぱりでした。そしてほとんどが海の底に沈んでしまった。

宮崎　駆逐艦はたいへんでしたね。荷物も運ばなきゃいけないし。

半藤　有名な「雪風」というのも陽炎型です。「雪風」は昭和二十年（一九四五）四月の戦艦「大和」の沖縄特攻のときにも沈まずに、敗戦後には特別輸送船に指定されて、外地にいた軍人や民間人の引き揚げ業務にあたりました。敗戦後も大活躍だったんです。

宮崎　艦の名前でちょっと思ったのですが、中国がいま、航空母艦をこしらえたりしておりますでしょう。で、中国の戦闘機の名前が「殲《せん》」幾つといいますね。殲滅《せんめつ》の「殲」です。「殲20」だか「殲31」だか忘れましたけど。ぼくは、これはよくない名前だなあと思った。ナチスのゲーリングが戦闘機に「屠殺《とさつ》機」という名前をつけたことがあるんです。

宮崎 ありました、ありました。

半藤 「殲」だの「屠殺」だのといった名前をつける空軍って……。

宮崎 よくないですよね。これはよけいなお世話ですけど、中国のあの航空母艦から着発艦できると思いますか。

半藤 こんなふうになって（掌をそり返す）いますからね。

宮崎 そう、こんなんなってる（おなじように掌をそり返す）。発艦時のカタパルトがない航空母艦は艦首が反り返っているんだそうですけど、あれは極端に見えます。

半藤 なんであれ中国は航空母艦が欲しかったんだと思います。そこに乗っかっている飛行機が「殲」幾つですからいかがわしい、とは言いたくありませんが、いずれにしてもあんまりよろしくないなあと思いました。「屠殺機」を思い出していやですね。

狙われた半藤少年と「宮崎飛行機」

半藤　そんなわけで私は、軍艦は駆逐艦「夕立」一隻しか実物は見てないんですが、飛行機はずいぶん見ているんですよ。昭和二十年（一九四五）、三月十日の東京大空襲で焼け出されて茨城県に疎開をしたのですが、茨城県にはたくさん軍の飛行場がありましてね。宮崎さんの疎開された鹿沼に近い、下館（現・茨城県筑西市）の在に大田郷飛行場というのがあったんです。

宮崎　そうですか。ぼくが鹿沼にいたのは四歳から五歳くらいまででしたから、残念ながらあのあたりのことはあまりよくおぼえていないんです。

半藤　大田郷飛行場。あそこは陸軍特攻隊の中継点として使われていて、出撃のために九州へ飛んでいく飛行機は、あそこへいっぺん降りるんですね。そこへほんのいっとき勤労動員で行きました。ですから、陸軍の飛行機、「飛燕」、「疾風」は、じっさいに見ています。「隼」は見なかったんですが。「飛燕」

というのはかっこいい飛行機だなあ、と思いました。

大田郷飛行場の上空には、P51ムスタングやグラマンF6Fヘルキャットなんかがやたら飛びまわっていました。被害を出さないために日本軍の飛行機は全部ほかへ逃がしているんですが、攻撃対象がなくて、なにもしないで飛ぶだけでは敵のパイロットも面白くないんでしょう。機銃掃射をやたらとしてくるんですよ。危なくてしようがないというんで、私ら飛行機の模型をつくらされました。木製でしたけど、それを飛行場に並べるんです。

宮崎 囮機《おとりき》ですね。

半藤 そう、囮を。たくさんの模型飛行機をつくって並べたんですね。するとそいつをP51ムスタングは、ダダダダダッと、気持ちよさそうに撃っていくんですよ。そのうちに敵さんも囮と気がついた。燃えないからです。じゃあこんどは燃えるようにしようというんで、草をたくさん載せて油をかけた。それでダダダダッとやると、パッ、パッと燃えていくから、やつらも喜んで機銃掃射をやっていました。何度も燃える囮をこしらえました。

宮崎　そうでしたか。囮の飛行機づくりはどの国もやりましたね。

半藤　でもP51の機銃掃射はそれにとどまらない。付近を歩いている人間も撃つんです。私自身が機銃掃射を受けました。魚釣りの帰りに叔父と並んで小貝川の土手の上を歩いていたときです。P51が二機、スウッと通り過ぎて行ったんですよね。「敵だ、敵だ」、「でも大丈夫だ、オレたちなんか狙うはずないよ」なんて言ってのんびり歩いていたら、クルッとこっちを振り向いたんです。そしたら急降下して撃ってきた。

宮崎　ああ。

半藤　「飛行機がまん丸く見えたら当たるから横へ逃げろ」と言われていたんですが、そのとき、まさにまん丸に見えました。そのとたん、バーッと土煙が上がりましてね。いま思うと、実際は三〇センチか五〇センチ向こうだったのでしょうが、当時はからだスレスレの一〇センチぐらいの近さに思いましたね。横に逃げるどころか恐怖でしばらく動けなかったです。叔父は、土手の上から転げ落ちて、畑の中に逃げ込んでいました。あのとき腰を抜かしながら、「飛行機っていうのはなんて卑怯な野郎なんだ」と(笑)。

宮崎 それは卑怯ですね、たしかに。

半藤 知らん顔しておいて、クルッと向き直った瞬間、ものすごい速さでしたからねえ。そういう経験がありまして、それで飛行機が嫌いなんです。

宮崎 とてもわかりやすいです。それにしても、ほんとうに当たらなくてよかったです。しかし似たようなことを、日本軍も散々やったのでしょうね。

半藤 それはそうだと思います。

宮崎 ぼくが日本の軍用機でじっさいに見たことがあるのは、零戦の風防だけです。物置の土間に新品の風防が二つ置いてあるのを見ました。そのときはなんだかわからなかったんですけど、ピカピカ光っていました。まだ色も塗っていない新品だったのだと思います。

半藤 聞くところによると、宮崎さんのご一家は、昭和十九年(一九四四)に東京の文京区から栃木県鹿沼市に疎開されたと。お父さんが、お兄さんといっしょに宮崎飛行機という会社を経営なさっていたとか。

宮崎　ええ、伯父が社長で親父が工場長でした。飛行機工場といっても、零戦の風防と夜間戦闘機「月光」の、翼の先の組み立てだけをやっていた、まあそんな程度の工場なんです。ですから飛行機工場というほどの大それたものじゃなく、町工場の延長です。熟練工はみんな兵隊にとられていて、未熟な人たちを集めてやっていますから、難しいことなどできるはずないんです。
　ぼくらは工場のちかくの家に住んでいたのですが、ぼくが見た零戦の風防は、きっと工場のなかに置く場所が足りなくなって置かれていたのでしょうね。

半藤　つくった部品の納入先というか、いわゆる元請け会社は中島飛行機ですか。

宮崎　そうです。父親に言わせると、当時は工員さんが千五百人いて、みんな腹をへらして作業していたようです。

半藤　ほう、千五百人もいたなんて、大工場じゃないですか。

宮崎　後年、「どうせ小さな町工場だったんだろう？」と親父に聞いたら「そんなことないぞ」と怒っていましたけどね。でもきっと、「千五百人にしようと思ったところで戦争が終わった」というようなあたりが、ほんとうのところだろうと思います。だいたい親父はそういうタチですから。ぼくは親父の自慢話をあまり真に受けていません。

半藤 宮崎さんのお父さんは、さきほど両国の生まれ育ちだとのことでしたが、どういう方で？

宮崎 府立三中（現在の都立両国高等学校）時代から、浅草に入り浸って遊びほうけていた人で、いやもう「浅草はよかった」っていう話ばっかりでした。

半藤 三中ですか。私たち七中（東京府立第七中学。現在の都立隅田川高等学校）から見れば、三中は秀才が行く学校なんです。

宮崎 ぼくの親父は秀才では決してなかったと思います。父が死んでからしばらくして、小津安二郎の『青春の夢いまいづこ』という映画を見て呆然としました。主人公の青年が父とそっくりなんです。この映画を見て、親父は真似したんじゃないかと思うくらい（笑）。アナーキーで、享楽的で、権威は大嫌い。デカダンスな昭和のモダン・ボーイです。映画は早稲田大学が舞台なんですが、親父も早稲田でした。

半藤　何年くらいの映画ですか。

宮崎　昭和七年（一九三二）ですね。親父の大学卒業は昭和九年ですから時代もドンピシャでした。

祖父《じい》さんは八歳で丁稚に出て、とうとう字をおぼえなかったという人でした。それでも才覚はあって、宮崎製作所という不思議な町工場を大きくした。この祖父さん、もし自分に学問をするチャンスがあったらオレはもっと偉くなっていたと言い続けましてね。息子たちには学問をしろ、と口うるさく言ったそうですが、親父とその兄貴は遊んでばかりいたようです。

半藤　そうすると、工場を大きくしてから拠点を鹿沼に移したということですか。

宮崎　ええ、それが昭和十八年（一九四三）か十九年のことだったようです。つくればつくるほど金になるから、ソレヤレッていうんで大きくしていったのでしょう。伯父はあるときから胸を病んで療養生活をしていたものですから、工場はもっぱら親父が切り回すようになっていました。戦時中がいちばん経済的に潤っていたと思います。銀行から金借りて増資して、増築して、それで戦争が終わったんですよね。大局観を全然持とうとしない人間でした。

半藤　お父さん、おいくつだったですか？

宮崎　ぼくの親父は終戦の年に三十一歳でした。戦争はずっと続くもんだとばかり思って手を拡げていたようです。昭和二十年（一九四五）にもなれば、知り合いの軍人も含めて、もうまわりじゅうが「この戦争は負けだよ」といっていたのに。

半藤　まあ、その若さなら、それも仕方がなかったかもしれませんねえ。

宮崎　いや、もっと前から、「宮崎さん、五機つくって南方に送っても、着くのは一機だけだよ」とか、「五機同士でアメリカと日本の飛行機がすれ違うと日本は一機だけ残って、向こうは一機が薄い煙を吐くだけだ」とか、そういう話を散々聞かされたそうなんです。なのに、そういう情報と自分の商売とをまったく結びつけないで、とにかくつくりゃいいんだと思っていたようなんです。

半藤　それもふくめて剛の者といえる（笑）。

宮崎　戦争が終わって当然ながら、なにも需要がなくなりました。工場は幸い焼かれずにすみましたから、今度は残っていた材料でスプーンとかおたまとか、そういうものをつくって糊口をしのぐことになるのですが。鹿沼というところは宇都宮から離れていますから、業態をうまく転換できずにけっきょく工場は閉めることになりました。

零戦と九六式艦戦

半藤　零戦の風防といえば、ひとつ忘れられない思い出があるんです。文春にいたときに、『太平洋戦争　日本航空戦記』（昭和四十五年十二月刊）というグラフィックな雑誌をつくったのですが、その表紙を谷井建三という絵描きさんに描いてもらいました。飛行機の戦いについての本ですから真珠湾上空を描いてください、と。具体的には真珠湾上空に零戦がいて、九七式艦攻があるいは九九式艦爆が飛んでいて、下の方にオアフ島が見えるような絵を描いてください、とね。そして絵ができてきた。零戦はなぜか画面のいちばん手前に描かれて風防のところだけでした。で、その本が出たとたん、抗議が殺到なんですよ。ここに描かれている零戦は五二型のものだという。真珠湾には零戦の五二型は行ってないと言うんですよ。

宮崎 確かにそうですね。真珠湾に行ったのは二一型でした。でも風防はおなじはずだと思いますが。

半藤 連中いわく、「微妙に違うのだ」と。

宮崎 零戦の設計者、堀越二郎さんという人は、もうどんなこともほんとうにきちんとやらないと気がすまない人ですから、それこそ「微妙に」なにか手を加えていたかもしれませんね(笑)。

半藤 ああ、なるほど。あとで改装を施したか。

宮崎 エンジンが大きくなりますから、それと馴染むように、微妙に風防の形を変えているかもしれません。今度の映画でちょっと描かなきゃいけなくなったんですけども、ぼくは、ほんとうは描きたくないんですよ、零戦という飛行機は描くのがものすごく難しい飛行機なんです。

半藤 へえ、そうですか。

宮崎 ええ。それこそ微妙なところに不思議な放物線が使ってある。その美学はもう揺るぎない。真似できないんです。ですから、スタジオの人間も、飛行機に詳しいと称している外の人も、だれが描いても実物に似ないんです。

半藤 う〜ん。やっぱりそうだったのか。ようやく謎が解けました。じつは谷井建三という絵描きさんは船を描くのがまことに上手なんです。船と海。そして波を描くのが上手なのですが、飛行機はそのときが初めてでした。でね、零戦を描いてくれといったのに、操縦席の風防のところだけしか描いてこないから、「バカもんッ、零戦をちゃんと全部描け」と言ったら、「どうしても描けない」と、谷井さんはそう言った。まさにお手上げだったんですね。

宮崎 わかります。ほんとうに描けないんです。描いても描いても違いが明確にわかる。映画の画面だと、遠くに飛んでいてもこんなにでかくなるでしょう？「まったく違う」と一目でわかる。「みっともない、これは小学生の描く絵だ」となってしまうわけですね。

半藤 そんなに微妙なんですか。

宮崎 ほんとに微妙で、しかも違いが明確です。きれいだけれど、なにか、ものすごくわかりにくい。ただ、キャノピー（風防）のあのデザインは、ほんとうに優れていますね。

半藤 いやはや、怒ったりして谷井さんには悪いことをしてしまったなあ。いずれにしても、風防だけで五二型だとわかるほど、世の中には零戦マニアというものが山ほどいるということを、思い知らされました。

宮崎 そういう人はいっぱいいます。いまそういう人たちはインターネットを使っていろんなデータを集めるから、なお詳しく、さらに性悪なマニアになって、我われのまちがいを探しています（笑）。

半藤 あの抗議殺到はつまり五二型の人気の裏返しだったのでしょうね。

宮崎 そう、五二型がいちばんかっこいいということになっています。ですけど趨勢からいえば、ほんとうは、もうあのときにジェット機をつくっていなきゃいけなかった。

半藤 まあ、そういうことなんでしょうね。

宮崎 機体の設計者にとったらエンジンは関係ない。ですから、エンジンがもっとよければいいじゃないか、という話になってしまうのですが、でも、そうするためには、機体全体を変えなきゃいけない。それを変えさせろと、何度も軍需省を相手に主張したのが堀越二郎でした。そのほうがぜったい早くつくれると堀越は訴えるのですけど、けっきょくだめでした。軍需省からは一機でも余計に早くつくれとせっつかれて、無理してでっかいエンジンをつけることになりました。でもそんな改変はほんとうの性能向上には貢献しないんです、機体が重くなるだけですから。

半藤 頭がでかくなるだけですものね。

宮崎 それをまた、きれいにまとめるから、零戦五二型というのは強そうに見える。それで人気があって、五二型ファンというのはいっぱいいるんです。

半藤　そういうことだったんですね。

宮崎　じつはいま（二〇一三年八月三十一日まで）所沢の「所沢航空発祥記念館」にアメリカ人所有の零戦が展示されています。所沢市が「おまえ、零戦好きだろう。見に来い」というんです。「見に来たらコックピットに座らせてやるぞ」などと甘言を弄しましてね（笑）。だけど、ぼくは行かないんです。北米インディアンの斧、トマホークを集めた白人主催の展覧会に、インディアンが見に行くか、と言いたい。

半藤　敵の戦利品ですよね。

宮崎　そうです、不愉快ですよ。昭和十九年（一九四四）にサイパンでアメリカ海兵隊に捕られたものらしいです。日本では、三菱が戦後になってつくっていますが、それは飛ばしていないんです。復元したものが靖国神社のなかの遊就館に入っています。

半藤　ああ、遊就館に入っているのは、それなんですか。

宮崎　そうです。ぼくは飛行機が好きなくせに、博物館に並んでいる飛行機はなんだか死体みたいな気がしましてね、ぜんぜん興味が湧かないんです。「じつは遊就館の機は飛ばしたことがあるらしい」という噂もありまして。「どうもタイヤのところに泥がついている」とか何とか言っている人がいるんですが（笑）。

半藤　なるほど。でも、泥なんかはあとでもつけられる（笑）。いずれにしても、あれは新しくつくった機だったんですね。

宮崎　そうです。あれは飛びます。ちょっと手当すれば飛ぶのですから、飛ばせばいいんですよ。イギリス人は、ボランティアが集まってドイツの戦車を直したりしています。戦争の怨讐を越えて、歴史的に貴重なものは取っておいたほうがいいっていう考えなのだと思います。ボランティアのおじいさんたちが喜んで飛行機を直したり、戦車を直したり、お金が集まったら部品を買ったりしていましてね。楽しんでいますよ。そういうほうが大人でいいなあ、と思いますね。

半藤　映画『風立ちぬ』では、主役級の飛行機は、零戦ではなくて九六式艦上戦闘機なんですって？　私は来週映画を拝見するのを、いまから楽しみにしているのですがね。

宮崎　はい。堀越二郎が昭和九年（一九三四）に試作した「九試（九試単座戦闘機）」、それが、後の九六式艦戦になりました。ずいぶん形が変わるのですが、九六式艦戦、これはきれいですね。ぼくはこれがいちばんきれいに違いないと思っています。

半藤　みなさん、そう言いますね。戦闘機としては、九六式艦戦がいちばんきれいだと。

宮崎　ほんとうにきれいです。子どものときに写真を見て、「ああ、きれいだあ」と思ったのが最初でして。

半藤　おや、そうですか。そんな小さいときから。

宮崎　最初のこういう翼、ちょっと反った翼を逆ガルタイプというのですが、こういう逆ガルウイングになっていた飛行機は不吉な感じがしたんです。そのあと正式になったときに真っ直ぐになりまして、そしてぼくは、「あ、きれいだ」と思ったわけなんですけど。

半藤 ええ、ええ。初めはそう、逆ガルウイングでした。

宮崎 一号機だけがそうなんです。そのなかに堀越のいろんな理想がすべて込められていると思って、それをつくるところは映画に入れました。でも、それが活躍するところはまったく描かなかったです。というのは、堀越さんのつくったその飛行機はすべて中国大陸で活躍している。

半藤 そのためにつくったんですからね。

宮崎 ええ。ですが、中国大陸の上で空中戦をやって戦果を上げた、などというような映画はぜったいつくりたくないですからね。でも、あの人は戦闘機をつくりたいんじゃなくて、飛行機をつくりたかった人だ、ということは確信しています。結局あの時代、いちばん優秀な技術者は戦闘機にまわされましたから。

半藤 パイロットもそうでした。優秀なのは戦闘機にまわされました。

宮崎 本庄季郎《きろう》さん、この人も優秀な技術者でした。

半藤　本庄さんは一式陸上攻撃機の設計者でしたね。

宮崎　はい。あれはほんとにまん丸で、放物線を使わないんですよ。ですから生産性がきわめて高かった。じつは堀越二郎とは、あまり仲が良くなかったのですが、映画では親友にしてしまいました（笑）。

半藤　ほう、仲良しにしましたか。

宮崎　ええ。お互いの仕事について、一言も言い合っていない。だから仲良くないんだろうと思います。ものの考え方が全然違うんです。

半藤　たしかに、陸攻と戦闘機では、全然違いますからね。

宮崎　全然違います。二人ともぼくは好きなんですけどね。堀越さんは、太平洋戦争がはじまったときには病気で寝ているんです。そのときに軍部から、零戦の翼を短くしてくれっていう要望が出て、それを、本庄さんが容れて翼の先を真っ直ぐに切っちゃったんですよ。

半藤　あ、あれを切っちゃったのは、堀越さんじゃなかったんですか。

宮崎　ええ、本庄です。それで三二型というのをつくったんですけど、これが前線のパイロットにものすごく評判がよかった。海軍のエース・パイロットだった坂井三郎中尉も、とてもいい飛行機だったと言っています。

半藤 三二型は昭和十七年五月の、ニューギニア島ポートモレスビー攻略戦ではほんとに強かったんです。

宮崎 ところが、昭和十七年八月からはじまったガダルカナル島の争奪戦では、航続距離が足りなくなるから、また翼を伸ばせという話になった。堀越さんがそのときに復帰して、また戻したんですよ。そしてガダルカナルでは零戦の被害がみるみる増えて、かなりの死者を出しますよね。

半藤 零戦の航続距離いっぱいいっぱいでした。三時間も四時間も一〇〇〇キロもの長距離を飛んでそのあと空中戦を戦って、しかも長駆帰って来なきゃいけないなんて無茶ですよ。

宮崎 ほんとうにそうだと思います。行って帰ってくるだけでもたいへんですよね。ですからぼくは、半藤さんの好きな山本五十六は、なんであんな作戦をやったんだろうかと。

半藤　まあ、五十六さんを弁護するわけではありませんが、大本営陸海軍部が、アメリカ本土とオーストラリアとの連絡を断つために、南太平洋のガダルカナル島に航空機の前進基地を建設することを目論《もくろ》んだんです。連合艦隊が主体ではありません。ところがじっさいは陸海軍バラバラで、陸軍統帥部が海軍に航空協力してガ島奪回を本気になって決めたのは、制空権を完全に米軍にとられてからですよ。いわゆる戦力の逐次投入の見本のようなありさまでした。ですから、昭和十七年（一九四二）十一月に大本営から「陸軍もソロモン、ニューギニア方面に航空兵力を出す」という命令が発せられるまでに、どれほど海軍のパイロットが命を落としたことか。いずれにしてもガダルカナルは遠すぎました。

日本は脇役でいい

半藤　つくづく思うのですが、この国は守れない国なんです。明治以来日本人はこの国を守るためにはどうすればいいかということを考えた。だれもがすぐ気づいたのは、「守れない」ということだったと思います。なにしろ海岸線が長い。世界で六番目に長い。アメリカよりもオーストラリアよりも長いんです。しかも真ん中に高い山脈がダーッと背骨のように通っていて、国民のほとんどが海岸沿いの平地に暮らしている。ですから、敵からの攻撃にそなえて人間を守るためにはものすごい数の軍隊が必要となるんです。北海道に敵が上陸したとき、これと戦うために九州から飛んでいく、というのでは間に合いませんからね。要するに防御はできない。ならばこそ、この国を守るためには攻撃だ、ということになったんですね。

この国では、「攻撃こそ最大の防御」という言葉がずいぶん長いあいだ支配的でした。まあ、現在もそう思っている人はたくさんいますがね。ところが攻撃こそ最大の防御という考え方は、「自衛」という名の侵略主義に結びつくんですよ。近代日本の最大の悩みは、まずそれがあったと思います。

もう一つは資源がないってことです。「持たざる国」なんです。だから補給が続かない。守るために外に出ていけば、おのずから補給しなくてはなりませんが、資源がないから補給は容易《たやす》いことではない。矛盾する大問題を抱えたまま、近代日本はスタートし、「攻撃こそ最大の防御」で外へ外へと出て行った。軍人さんだろうが、インテリだろうが、日本の行く道は侵略主義に通じていると、これまただれもがほんとうは気づいたはずなんです。ところが侵略とは思いたくないから「自衛である」という体裁をつくってそう思い込もうとした。ほんとのことをいうと、最初からお手上げだったんですよ。そして、戦争に負けてからこっち、何十年ものあいだにこの長い海岸線に沿って原発をどんどんおっ建てた。

宮崎 なにしろ福島第一原発ふくめ五十四基もあるんですから、もうどうにもなりません。

半藤 そのうちのどこかに一発か二発攻撃されるだけで放射能でおしまいなんです、この国は。いまだって武力による国防なんてどだい無理なんです。

宮崎 膨張する中国を横に見て、その大陸とこの原発だらけの列島をどう共存させるのかという戦略的な視点が必要なのに、ちっぽけな岩礁一つを巡って、チョッカイを出し合っている様子というのは、まことにバカげていますね。

半藤 もうそんなことをやっている場合じゃないです。ま、それはともかく。話を近代にもどすと、地理的に見てこの国は力では守れない国だから、外交的な話し合いで守るしかないと、だれも思わなかった。そこで勝海舟をはじめとして、まず海軍をつくることにした。さらに海軍を強くするためには軍艦を少なからず持たなきゃならん、と。そのうちに、軍艦ではどうもご時世に間に合わないらしい、というので飛行機を、となったわけです。外へ、外への勢いのなかで。

宮崎 そして利益線だとか生命線だとか、そういう思想が出てくるんですね。

半藤 そういうことです。朝鮮半島は我がものにしてここを生命線にしなきゃいけないと。で、朝鮮半島をとったら、これを守るためには満州を生命線にしなくてはならない、と。南もおなじなんです。太平洋側を守るためには小笠原諸島を守らなきゃ。小笠原を守るためにはマリアナ諸島を。マリアナ諸島を守るためにはマーシャル諸島を、と、どんどん南へと行くんです。

宮崎　司馬遼太郎さんが言っておられたことですが、日本はお座敷の隅の、ちょっとトイレが臭うようなところで、でも風通しのいいところに座っていたらいいんだよ、と。

半藤　そのほうがよかった。床の間つきのお座敷の上座に座ろうと頑張らないほうがよかったんです。ところが日露戦争にきわどく勝って、自分たちは一等国の仲間入りをしたと思い込んだ。私は軍艦好きですが、あのかっこいい軍艦も、残念ながらけっきょくはみんな張り子の虎でした。最後につくった戦艦大和・武蔵もそうです。しかもこの巨艦を「オレたちはすごい軍艦をもっているんだぞ」ということを、外交宣伝の、その道具として使えばよかったのですが、それを日本はしなかった。もっていることをなぜか隠したんです。

宮崎　あれも不思議ですね。零戦だって隠しましたからね。

半藤　飛行機もそう。ものすごく優秀な飛行機をつくっているぞということを表明すればいいものを、わざわざ隠したんです。

宮崎　いったいだれが隠すことに決めたんでしょう。だれが最初に「極秘」ってハンコを押したのかなあ……。

半藤　いまもそうですが、この国は責任者というものがわからないような仕組みになっているんです。けっきょくは、リーダーといわれる人たち全員でその判子を押した、ということにしたのでしょう。

宮崎　ほんとうにそれが不思議なんです。当時の航空雑誌に零戦は「海軍新鋭機」、あるいは「新鋭戦闘機」としか書かれていないんですよ。機関銃の穴は全部修整で塞いでありました。

半藤　零式戦闘機も、戦艦大和も、まさに昭和の日本人がつくった、当時としては世界一のメカだったかもしれません。しかしこれ、残念ながらあらゆる意味で役に立たなかったんです。

宮崎　アメリカは、戦艦大和の存在を、とっくに知っていたようですね。知らないのは自国民だけでした。

半藤　自分で隠していたんだから、しようがない。

宮崎 開戦のとき、まだ大和は就役していなかったのでしたっけ?

半藤 していないです。開戦直後の昭和十六年(一九四一)十二月十六日に海軍に引き渡されています。そして連合艦隊の旗艦になります。零戦だって開戦のときは三百二十二機しかなかった。

宮崎 そうです。五百何十機つくったのですけど、もう壊れているのもありましたから、実際に使えるのはおっしゃるとおり三百機でした。当初アメリカも一線にいるのはたいした数ではなかったわけですが、真珠湾をやられて開戦となったら、一挙に工場がフル稼働になって、護送空母なんてたちまち百隻以上つくられていますからね。

半藤 それで失業者だらけだったアメリカから、突如失業者が一人もいなくなったらしいです(笑)。零戦が制式採用されたのは昭和十五年(一九四〇)七月。以降日本では、終戦まで一生懸命つくって一万機しかつくれなかった。

宮崎 でも世界からは、「こんなつくりにくい飛行機をよく一万機もつくった」と評価されてもおりました。つまり零戦は、大量生産にはおよそ向いてないいんです。本庄季郎のつくった飛行機は大量生産に向いているんですけど、堀越二郎がつくった飛行機はもう恐るべきものでして（笑）。そういう意味ではあの人、ぜんぜん戦争をやろうなんて思ってないです。

半藤　ほんとうは堀越さん、翼に二〇ミリの機銃なんか積みたくなかったんですよ。重量はふえるし発射したときの安定を損ねてしまう。設計技師にとっては厄介なお荷物だったんです。

宮崎　しかもあれ、世界ではすぐに旧式とされる機関銃だったんですから。

半藤　じつは私、七中時代に勤労動員で、その二〇ミリ機銃の弾丸の、検査をやっていたんです。

宮崎　へえ！　そうでしたか。

半藤　海軍省の関係者が工場の中で二〇ミリを撃って見せてくれましたが、ものすごい音がしましたよ。

宮崎　二〇ミリだったらそうでしょうね。あれ、スイスのエリコン社の、二〇ミリ機銃のパテントを買ってそのまま真似してつくったんですね。

半藤 そうです。腰が抜けるような凄まじい音でした。紫電改なんていう飛行機も二〇ミリ機銃を両翼に積んでいたのですが、これが筒内爆発（銃身の中を通るときに弾丸が暴発すること）を起こしてやたらに自爆しているんですよ。

宮崎 筒内爆発を起こすと、銃身が折れるだけじゃなく翼にボカッと大穴があいて、すぐ落ちてしまうんです。原因としては、信管が敏感すぎたせいだと聞いてますが。ところで弾丸の検査というのは、いったいどんなことを？

半藤 いちいち細部を検査しますが、いちばんお終《しま》いは銃弾にひび割れがないかをチェックするんです。たしか、縦のひび割れはオッケーだけど、横のひび割れはダメ。いずれにしても、私ら中学生坊主が検査していたんですから、いかに検査がずさんだったかということです。筒内爆発も起こすよと（笑）。

宮崎 筒内爆発はもう日露戦争のときから頻発していましたね。砲身がちぎれて短くなってしまった写真がありましたね。これもどうでもいい話ですけど、いま中国が、北洋水師の装甲艦、鎮遠と定遠のプラモデルをつくっているのですが、じっさいの縮尺を無視してつくっておりまして、大砲が異常に長いんですよ。

半藤　そういう嘘をついちゃいけませんね。

宮崎　ええ。そういうことをしていると国を誤るぞと思います。かつて日本がやったことです。

半藤　安っぽい民族主義は、国を誤らせるもとです。

宮崎　問題は、これからですね。東アジアの情勢が世界の情勢を大きく左右すると思います。中国の動向というのは世界の運命ですよね。

半藤　ほんとにそうですね。

宮崎　ぼくはいずれ中国の共産党政権は崩壊すると思っているんです。でも、それは平和になるなんていう意味じゃなくて、大混乱時代になると思うんです。そんな時代を前にして、この国は人的資源がやせ細っていくという問題を抱えながら、どうやって生き延びていくのか。そこらへんのことを、だれか教えてくれないかなあって、ほんとに思います。

半藤　中国共産党一党独裁の天下が崩壊するということは、予感としてはみんな持っているのですが、はたしてそれがどんなかたちで崩壊するかということは、予測するのが難しいですね。

宮崎　イラク戦争が始まったときに、イギリスの若い政治学者がテレビに出てきて、「この戦争の結果、アメリカ人は自分の牧場に帰ることになるでしょう。そして世界は多極化して、一段と混迷を深めるでしょう」と言ってたんです。

半藤　たしかにそれに近い状況になっています。

宮崎　ぼくには「牧場に帰ることになる」という表現が、じつに印象的でした。そして、これはついこのあいだのことですが、朝日新聞に載ったアメリカ人研究者の発言に「アメリカの空母によって中国を抑止し、日本などに安全を保障するという能力が低下するかも知れない」とあったんです。なぜかといったら、中国の軍事力がさらに増強されることは間違いない。いっぽうアメリカは軍事費をもうこれ以上増やすことはできないだろう、と。横須賀も嘉手納も、やがて中国のミサイル攻撃を防げなくなる。そうなると、もうアメリカ軍は、自由気ままに西部太平洋を行き来することができなくなる。

けっきょく、日本がアメリカに、基地を返せと言わなくたって、アメリカにとってあそこに基地をもっている意味がなくなる、ということではないですか。ああ、世界はそういうところに来かかっているんだなあ、としみじみ思いました。

半藤 いずれにしても日本が、この先、世界史の主役に立つことはないんですよ。

宮崎 ないですね。ないと思います。

半藤 また、そんな気を起こしちゃならんのです。日本は脇役でいいんです。小国主義でいいんです。そう言うと、世には強い人がたくさんいましてね。そういう情けないことを言うなと、私、怒られちゃうんですがね。

宮崎 ぼくは情けないほうが、勇ましくないほうがいいと思いますよ。

半藤 「腰ぬけの愛国論というものだってあるのだッ」と声だけはちょっと大きくして言い返すのですがね（笑）。へっぴり腰で。

宮崎 ええ、ほんとにそう思います。いいですね、腰ぬけ愛国論か……。

『鉄腕アトム』から五十年たった今

半藤　ところで日本の人的資源はやっぱりやせ細っているとお思いになりますか。

宮崎　ぼくはそう思います。

半藤　年寄りはだいたいソクラテスの昔から、今どきの若い者は、とやりやすいのですが（笑）。でも、やっぱり、やせ細っていますかね。

宮崎　やっぱり人数が少なくなるということはすごいことです。

半藤　それはかりはどうしようもない。

宮崎　日本の人口は一億二千八百万人がピークですが、子どもたちの数はどんどん減っています。アニメーションというのは、一定の観客数がいることによって成り立っている部門ですから、今後は確実にだめになっていくんです。少なくとも、惜しみなく時間とお金と才能を注ぎ込むような、そういうアニメーションをつくる機会は減っていくと思います。隣の韓国を見ていると、やっぱり人口が少ないというのが大きなネックなんですよね。もうちょっとお客さんがいれば自国の中でやっていけるのに、というジレンマがある。そういうお隣の様子を見ると、「人口が爆発したおかげで、僕らのアニメーションはあったんだなあ」と、つくづく思います。

いま子どもたちは減っているけれど、かなり上の世代の人まで映画館にアニメーション見に来てくれるので、これまでなんとかもってきました。しかし十年先、二十年先を考えていくと、だいぶ違ってくるだろうなあ、と思わざるを得ません。日本の歴史を見ると、一つのジャンルが盛んになって終わりを迎えるまでの時間はだいたい五十年だと言った先輩がいました。浮世絵もそうで、いいときは五十年しかなかったらしいです。だからアニメーションもじきに終わるんだよ、と言われました。

半藤 日本のアニメーションはもう五十年たっちゃったんですか。

宮崎 たちました。ぼくは昭和三十八年(一九六三)にこの仕事に入ったのですが、それからちょうど今年で五十年です。『鉄腕アトム』のテレビシリーズが始まったのが、昭和三十八年、五十年前のことでした。

半藤 ああ、そうでしたか。

宮崎 テレビで人気が出てアニメーションは広がったんです。もう五十年もやってきたんですね、ぼくらの場合。ずいぶんやったなあと思って感心します(笑)。でも、このあとやっていく連中はたいへんだなと思います。

半藤 新しい分野だっただけに、開拓者である宮崎さんは、あんまり制約を受けずにやってこられたのでしょうか。たとえば堀越さんが零戦をつくるとき、海軍航空本部のほうから、やたらと条件を出されるような、そういう制約はなかったんですか。

宮崎 いやいや、それはものすごくありました。まず映画会社の常識があって、子ども向けを称して「ジャリモノ」という言い方があったのですが、「ジャリモノはこうじゃなきゃだめだ」というような制約がありました。たとえば『家なき子』だとか『小公子』といった、みんなが知っているような名作物でないといけないとか。

半藤　では、創作はだめだったのですね。

宮崎　そうです。知らない話にはお客が入らないといわれました。でも、それもわずかな期間でしたね。テレビシリーズが始まったら、一挙にマンガがアニメーションになっていくという趨勢になりましたから。ですからそのことによって、ぼく達が考えていた劇場用の長編アニメーションの制作は、一時途絶えてしまうんです。テレビシリーズをつくるほうが稼ぎになるからというので。しかし現場はもう、大騒ぎになりました。一年で一本のペースだったものが、毎週毎週一本つくらなくてはいけなくなった。
　ぼくはそういう騒ぎも横目で見てきましたけれど、まあ、そのなかで、ああでもない、こうでもないとやりながら今日まできたんですね。それもみんな、お客さんの支持があったからです。ほんとに奇跡的だとぼくは思っています。というのは、各国の同業者を見ていると、ほんとうにみんな悪戦苦闘していますからねえ。

半藤　各国の同業者といわれても、私にはウォルト・ディズニーのぐらいしか頭に

宮崎　浮かびませんが。ウォルト・ディズニーでも、いまはみんなコンピュータでやる3Dのほうに移っています。才能のある絵描きが、いつの間にかコンピュータでやるようになってしまいました。「あいつ惜しいなあ」と思うような人もいて、でも、そうならざるを得ないんです。
　自分たちは長らく、鉛筆やペンで描いたものを、透明のセルに写して筆を使って絵具を塗ってという、ものすごくアナログな作業をしてきました。それがある日デジタルになったんです。色を塗らなくなりました。コンピュータ上で色をつける。撮影もついにカメラがなくなって、デジタルで絵を取り込んでそれで映像をつくる。とうとう今年、フィルムがなくなりました。

半藤　はあ～ッ。全部デジタルになったんですか。

宮崎　もうデジタルのほうが安いんです。フィルムのほうが割高になってしまった。フィルムにすると、いままでよりずっと高い金で、東京じゃなくて遠く離れたところでポツンとやっているような現像所にお願いするしかなくなったんです。しかもフィルムのネガはとっておくと変質していく。色が変わっていくし、音も悪くなっていく。すると、ブルーレイで保存しておいたほうがいいということになって、プロデューサーがいませっせとブルーレイにしています。でもそのうち、ブルーレイといえども劣化することがわかる、とぼくはニラんでいるんです(笑)。つぎはレッドレイかなんか知りませんが、また新しいものが出てくるのでしょう。

半藤　そうすると、いまはあんまりお描きになることはないんですか。

宮崎　いいえ、描いています。背景は、ぼくらは筆で描く。その背景をコンピュータに取り込んで、その上に乗っかる人物は、その背景を基準にしながら色を決めていくという作業をします。だけど、絵具を塗ってOKというわけではなくて、絵具で塗ってから、少し調子を上げようとか下げようとかいろいろやるんですね。ですからどんどんコンピュータの精度が高くなって、なんだかよくわからないのですが、ちかごろ画面が妙に明るくなってきたんです。

もう四十年ちかく前に『アルプスの少女ハイジ』というテレビアニメをつ

くったのですが、画面の背景はほとんど緑色ですから、それをバックに赤い服を着たハイジがチラチラ走っていると、かつてはしっくりと調和して、元気がいい、という印象でした。で、デジタル化に当たってその色を機械に取り込んでみたら、赤そのものが強烈な蛍光色になってしまうんです。もとの色味がすっ飛んで輝いてしまっている。これはちょっとしたショックでした。ぼくは、機械が乱暴になっているのじゃないかと思うんです。それを見慣れている人間たちは、それをそのまま受け入れますから、近ごろでは渋い画面がなかなかつくれません。色調が激しくなってしまうんです。

半藤 いまの日本人は蛍光色が好きなんですかねえ。

宮崎 だと思います。それは本屋さんに行ってみるとわかる。もう、そこらじゅう蛍光ピンクだらけです。なでしこのピンクじゃなくて、コンピュータがつくっている激しい赤ですね。ぼくなんかは、それが気持ち悪いんですよね。

半藤 『となりのトトロ』、あれは?

宮崎 あれは全部手で描いたものです。色数は決して少なくなかったですけれども、セルに写して絵具を塗って。それを撮影台に置いていって、一枚一枚パチッパチッと写真に撮ってこしらえたんです。『となりのトトロ』のあと、このスタジオをつくるときに、すごくいい撮影台を二台導入したんですよ。もう、自分達が夢にまで見た撮影台を。その撮影台で三作品つくりましたかねえ。どうせ寿命は短いのだろうなと思っていましたが、たちまち本格デジタル時代になってしまってすぐ使わなくなってしまいました。で、ぼくはその撮影台をそれぞれ「大和」と「武蔵」と名づけたんです（笑）。

半藤　ハハハ、言い得て妙ですな。さぞ大きい台なんでしょうな。

宮崎　それで、装置が大きい「大和」のほうはＩＭＡＧＩＣＡという現像所が引き取ってくれて、そこのロビーに飾られています。

半藤　けっきょく「大和」の代わりはデジタルが易々とやってのけたのですか？

宮崎　はい、易々と。「ぼくは火縄銃でいくよ」と宣言して、いまもコンピュータはまったくやらないんです（笑）。ほんとうに変わってしまいましたね。まわりに聞くと、みんなテレビなんかもう見ていないと言いますし。

宮崎 ええ、みんなして、寄ると触るとこんなこと（タッチボードを触る仕草）ばっかりしていますよね。

半藤 しています。それを見るとぼくが機嫌悪くなるものだから、ぼくのまわりではみんな隠れてやっています（笑）。でもほんとに五十年という年月がもたらした技術環境の変化はすごい、と思いますね。まあ、いずれにしても、「五十年もやりゃ、もういいや」とか思ったりもしているんです。

宮崎 私なんかおなじようなことを、ずーっと六十年やっていますよ。あんまり変わりませんよ、もうほんとにあとわずかだなと思って。今度の映画だって、思いつ

半藤 いや、五十年も六十年も原稿用紙の穴埋めをシコシコやっている。

宮崎 てから実現するまで五年かかりました。

半藤 前作が五年前ってことですか。

宮崎 ええ、そうです。けっきょく『崖の上のポニョ』から五年かかっているんです。そのあいだ、なんとかして並みの給料は払わなきゃいけないとか、ス

タッフに赤ちゃんがつぎつぎと生まれてきたら保育園も欲しいじゃないか、と思ってじっさいにつくったりしているうちに、どんどん掛かりが大きくなってしまいました。映画ができあがって、「これだけお金がかかりました」ってこの前数字を見せられて、「ああ〜。こんなの回収不能だあ!」って、ぼくはひっくりかえりそうになったんですけど(笑)。

半藤 でも、今回『風立ちぬ』をつくるに当たって制約はもうなかったのでは?

宮崎 ええ、それはもうわがまま放題にやらせてもらいました。やりたいけれどがまんしたってことはないです。それについてプロデューサーが口を挟んでくることもないし、「やれるものならやってみろ」みたいな感じになっていますから(笑)。

半藤 要するに私、ものをつくっている人っていうのは、堀越二郎さんにしても、制約があろうがなにを言われようが、おそらく耳に入っていないんじゃないかと思うんですよ。

宮崎 入っていませんね、あの人の耳には。

入っているような顔をして、「ああ、わかりました、航続距離は……」なんてやっていたのでしょうけれど、たぶん頭に入っていなかった。

宮崎 そうだと思います。それは自信を持って言えますね。

半藤 ご自分もそうじゃないですか。

宮崎 いや、まあ、それはともかくとして（笑）、堀越さんに軍がいろんな要求を出しました。それについてかれが戦後に書いた本を読むと、関係者への配慮だらけです。旧軍関係者がかなり生き残っている、官僚も全員生き残っている、それから三菱重工の社員が生き残っている。のちに勤めることになる防衛大学校に行っても関係者ばかりでした。ほんとうのところは言えないんですね。ですからその回想録は、隔靴搔痒《かっかそうよう》というか、はっきりしない言い方になっています。それでも、読みこんでいくと、「この人は、制約を絶対のものとは思っていなかったんだなあ」ということがわかるんです。ですから今度の映画もそうしちゃいました。風馬牛《ふうばぎゅう》というか（笑）。

半藤 要するに、「官僚の意見を聞く必要はない」と思っていたということですね。

宮崎　そういうことです。「おまえ、聞いてないな」と問われたら、「はい」って答える男にしちゃいました。どこにもそんな出来事があったとは書いてないんですよ。だけど、ぼくは堀越さんの評伝をつくるわけではありませんから、いいやって（笑）。その上、堀辰雄が混ざっているからややこしい。おまけに、享楽主義の親父が若干混ざり込んでおりまして（笑）。

半藤　ああ、小津安二郎の『青春の夢いまいづこ』の、主人公そっくりのモダン・ボーイ。

宮崎　はい。若いときは、衝突やらなにやらいろいろありましたけど、このごろようやく、やっぱり親父を好きだな、と思うようになりました。

半藤　衝突というと？

宮崎　衝突というほどのものではないのですが、たとえば思春期には戦争責任について口論したりもしました。親父は「戦争をしたのは軍部であって自分ではない。スターリンも日本人に罪はないと言った」などと言っていましたね（笑）。天下国家、そんなことには気を回さないという人間でした。でも自分

半藤　の家族は大事にしようと思って、それを最後まで貫きました。

私の親父というのがへんな親父でね。向島で運送業をやっていたのですが、太平洋戦争が始まったその日に、「この戦争は負けるぞ、おまえの人生も短かかったなあ」なんて言うんです。まわりは必勝、必勝と騒いでいますから、「なにを言っているんだろう、このジジイ」と思いましたよ。それ以降も、まあ、なにかと非国民的なことを口にしてましてね。ちいさい声で言うならまだしも、デカい声で言うものだから、近所中に響いて、チョイチョイ刺されて（密告されること）いるんです。ですから家はおまわりにのべつ踏み込まれて、しょっちゅう警察に連れて行かれていました。区議会議員という名誉職をやっていましたから、すぐ帰されてくるんですけどね。そういう親父でした。

昭和十九年（一九四四）の冬に空襲が本格化すると、おふくろと幼い兄弟たちが茨城県に疎開しまして、向島の家には親父と私と二人になった。ところが親父には外に妾がいて、空襲の真っ最中に、大事な倅《せがれ》を家におっぽりだ

しておいて妾のところへ行っているんですから、ひどいもんです。もっとも
これはあとで知ったんですがね。三月十日の大空襲の夜は家にいましたが。

宮崎 正直な方ですね（笑）。

半藤 非国民な親父だと思っていましたけどね。ただ、この人の言っていたことは
みんな当たっていました。

宮崎 ほう、そうですか。ぼくの親父の言ったことはひとつも当たりませんでした
ね（笑）。

半藤 親父は四十七歳で死んだんですよ。戦争に負けたショックでしょう。非国民
の愛国者だったのかもしれません。悪い酒をガブガブ飲んで、胃がんでさっ
さと死んじゃったんですがね。

忠犬ハチ公の銅像が建ったころ

宮崎 ところでインターネットの検索による、なんというのか、コピー文化という

ようなものがいまの世の中を支配していますが、どうなのでしょうか。ぼくはあまり資料を集める人間ではないんですけど、何十年もかかって、それなりに堆積したものがあるわけです。たいしたものしか集めていないです。お金かけて集めたわけではなくて、たまたま出会ったものしか集めていません。手離すともう出会うことはないだろうと思って残しているだけですけどね。ところが、インターネットにかかると、こ〜んなに（両手を拡げる）出てくるんですよ。

半藤　へ〜え！　そうですか。

宮崎　それもたちまちぞろぞろと出してくれるんですよ。これ、四十年来の謎だったんだというようなことが、あっさりチョロッと出てくる。で、チョロッと消えていくんですね（笑）。そういうふうにインターネットはすごく便利です。ずうっとわからなかったようなことが簡単に手に入るんですからね。

今回の『風立ちぬ』でも、関東大震災のときのこの町を、こういうふうに描いてほしいとスタッフに注文したら、「インターネットで調べたら、震災のときこの町はこうはなっていません」などと口答えしてきましてねえ（笑）。ぼくは、そんなこと知っているよ、と。そんなものそのまま描いたってしようがないだろう、震災前の江戸の面影をのこした東京という気分が大事だとか、わめくんですが（笑）。

半藤　事実とイメージとの、違いですね。

宮崎　そうなんです。たとえば大正時代の電信柱はこうでした。そんなことはわかってる。でもこんな碍子《がいし》がいっぱいついている醜い電信柱を、わざわざおまえさんは描きたいの？　ってぼくは言いたくなるんです（笑）。その時代にこういう建物が建っていたのは事実だけれど、これを見た今の日本人がそれを昔の姿だと感じるか、と。そこは大事なところなんです。まあ、もちろんそうとばかりも言えなくて、時代考証ももちろん必要なのですが。

たとえば小田急電車が一両だけで走っていたときに、そのドアの開け閉めはどのようになっていたのか、という謎が今回ありました。乗客は手で開けて降りる。閉めるのは車掌がやっていた、ということが、これはインターネットではなくて小田急電鉄の広報に尋ねてわかりました。ところがドアは三つもあるから、閉めるのがたいへんじゃないかという疑問がでてきた。ぼくらは、運転手も立って運転していたから、たぶんいちばん前のドアは運転手自身で閉めたのであろうという結論に至ったのですがね。

半藤 その場面は映画に出てきますか？

宮崎 ドアが開く場面はありますが、閉めるところまでは描いていません。これは描けばよかったかなあ、とちょっと後悔しているんですけど（笑）。

半藤 小田急は一両で走っていた時代があるんですね。

宮崎 あるんです。京王線もそうです。昭和七年（一九三二）十月に、東京市が十五区から一気に三十五区になったのを記念して、グラフ誌『新東京大観』という上・下巻本が出版される。そのなかに、京王線が一両で走っている写真がありました。

半藤 いまの話で思い出しました。私は東京の下町生まれですから、京王線とか小田急なんてまったく縁がなかった。けれども四歳か五歳、まだ小学校に上がる前にいっぺんだけ渋谷へ出て来たことがあるんですよ。なぜ遠路はるばる渋谷に出掛けてきたかといったら、忠犬ハチ公を見に、です。このときハチ公の銅像が建ちましてね。しかも本物のハチ公がまだ生きていて銅像と忠犬ハチ公本人が並んでいるというので話題になったんですよ。たしか昭和九年(一九三四)です。

宮崎　井の頭線ができたばかりのころでしょうか。

半藤　渋谷で井の頭線の駅は見なかったですねえ。近所に住んでいた大学生のお兄さんが我われ悪ガキどもを集めて、「忠犬ハチ公を見たいか」と。「見たいッ」と答えたら「よしッ、連れていってやるッ」ということになりましてね。で、その大学生に連れられて四、五人で、浅草から地下鉄に乗ったのを覚えているんですよ。ところがどうも私には、途中から国電に乗り換えたという記憶が、そこはかとなく残っているんです。当時は省線といいましたがね。大人になってからのことですが、あるときそれがどうしても気になって、私、調べたんです。そしたら銀座線は、昭和九年はまだ新橋までだったことがわかりました。

宮崎 ああ、そうかもしれません。

半藤 ですから、やっぱり新橋から省線に乗り換えて、山手線で渋谷まで行っているんです。それで、渋谷の駅に降りて忠犬ハチ公の銅像を見て、そばにいる忠犬ハチ公の頭をなでて「おまえがハチ公か」なんて言ってセンベイか何かやって（笑）。それをおぼえているんですがね。

宮崎 これもずいぶん前のことですが、昭和八年（一九三三）の東京の道路地図をたまたま古本屋で見つけて買ったんです。それには井の頭線が渋谷から吉祥寺まで走っている。僕は永福町で育ったものですからそのあたりの土地勘があるんです。おや、と思った。その路線は、いまとは異なるとんでもないところに描かれているんです。いまはある「明大前」という駅もない。もしかしたら、いまのは本来の線ではなく、あとから真っ直ぐに変えられたのかもしれないぞ、と思いまして、歩いてみたんですよ。ひょっとしたら線路の跡が小道のなかに湾曲して残っているかも、と。ずいぶんと路地を歩いたのですが、けっきょくそれらしき痕跡は見つかりませんでした。それもそのはず、そのころの地図というのは予定にあるものを全部盛り込んでいたんですね（笑）。

宮崎　そうすると、井の頭線はどこまでですか。

半藤　まだそのときは通っていません。予定線だったんです。

宮崎　やっぱりそうか。私の記憶でも、渋谷に忠犬ハチ公を見に来たとき、井の頭線はカゲもカタチもなかったような気がするんですよね。

半藤　私もいまの地図にあわせてみて発見したことがあります。明治十年（一八七七）に西郷隆盛が西南戦争に敗れて城山で死にますね。その直後に勝海舟が、西郷さんを悼む碑を、赤坂氷川神社の裏にあった自宅の庭におっ建てようとしたんです。さすがにこれには奥さんが猛反対した。そりゃそうです。そのときは西郷さん、新政府軍に歯向かった、まごうかたなき「国賊」ですからね。けっきょく自宅の庭はあきらめて、南葛飾郡大木村木下川《きねがわ》の浄光寺という寺に建てたという記録が残っているんです。これ、私の生まれた家の近くです。よし、その寺を探してやろうと思って私は昔の地図といまの地図をあわせてみた。どこにもない。そこには荒川放水路がありました（笑）。

宮崎 あ、水没してしまったわけですね。

半藤 荒川放水路は、荒川のうち、岩淵水門から江東区と江戸川区の境の中川河口まで開削されてできた水路ですが、その開削工事は長きに渡る大工事だったんです（明治四十四年から昭和五年までの十九年間）。その過程で、浄光寺はそこからなくなっちゃったわけですな。かつての寺の場所は川の底だと、地図を合わせてみて初めてわかった。オレが子どものころ毎日泳いでいたあの荒川の下にあったのか、と（笑）。では、肝心の勝海舟が建てた碑はどこに行ったかというと、いったん東四つ木（葛飾区）の木下川薬師に移されたあと、洗足池（大田区）のほとりに建つ勝海舟の墓の隣にもって来られまして、いまもそこにあります。

ワシントン軍縮会議のおかげで

半藤　川の話といえば、第一次世界大戦後の大正十一年（一九二二）にワシントン海軍軍縮会議が開かれました。このときの軍縮条約調印で、激越をきわめていた世界の建艦競争が急停止となった。軍艦をどんどんつくって武力を競い合っていると国の財政がもたないというわけです。主力艦（戦艦と空母）の保有量を制限されて、日本が対米英六割とされたのはごぞんじのとおりです。要するにつくりつつある日本の軍艦が机上で山ほど沈められてしまった。そのため計画で準備していた鉄と工員さんが大量に余っちゃった。それを何とかしなきゃいけないということで、隅田川に橋がバンバンバンと架けられたんですよ。

宮崎　軍艦や空母の代わりに橋がつくられたのですね。隅田川の橋は、比較的最近になってできた新大橋（昭和五十二年竣工）を除けば、みんな立派な鉄の橋です。

半藤　立派ですよ。橋はやっぱりこうじゃないとね。

宮崎　ぼくもほんとうにそう思います。もうしみじみします。

半藤　隅田川の橋っていうのはじつによくできていて、だからこそ、構造の異なった橋がいろいろあって「橋の博覧会」と言われているんです。

宮崎　いま、橋に照明を当ててその下を屋形船で通るというような趣向もあるようですが、あの趣向はちょっとどうかな、と思います。

半藤　誰が考えたか知りませんけど、色を全部違えているんですよね。余計なことです、あんなものは。

宮崎　そう思います。あれはほんとに余計なお世話です。

半藤　永代橋が大正十五年（一九二六）の竣工で、以降、昭和七年（一九三二）新しく竣工の両国橋までつぎつぎに架橋されていきました。設計と工事を請け負ったのは、浦賀船渠《せんきょ》や三菱重工といった造船会社でした。それだけ鉄が余っていたんです。

宮崎　もし軍縮とならずに、軍艦や空母になっていたら、すべて海の藻くずと消えていたんですね。

半藤　そうならずに隅田川の橋は、いまなお我われの暮らしに貢献してくれているわけです。平和とはいいものです。いずれにせよ、昭和初期の日本では一挙にインフラが整備された。井の頭線とか京王線も、ことによるとその余りでつくったのかもしれませんよ。

宮崎　そういえば、荒川放水路をつくった費用が巡洋艦一隻分だったといいますね。

半藤　ちょうどそんなものかもしれませんねえ。巡洋艦の建造もすごく高くつくんです。

宮崎　それにしても、隅田川の周辺の風景はもう少しなんとかできないものでしょうか。

半藤　そうですね、昔は河岸からこう、緩いスロープを上がったところに土手がありました。ですから、隅田川を船が通ってできた波は、両岸に穏やかに吸収されていって川面がすぐに鎮まったものなんです。戦後のいつ頃からか、土手がなくなって防波堤と称するコンクリートの壁になりましたから、波がみんな体当たり。ですから、いつまでも隅田川はバシンバシンと鎮まらなくなってしまいました。芥川龍之介が隅田川を愛したことは有名で、「ああ、その水の声のなつかしさ、つぶやくように、すねるように、舌うつように」と書きました。これもいまは昔。

この前も、大相撲観戦の帰りに浅草に行こうということになって水上バスに乗ったら、波がやっぱり荒立っていました。もう、とてもボートの練習なんかできやしない。いま隅田川は、いつも怒っていると、私は思うんですけどね。

宮崎　隅田川とその周辺は、ほんとうに酷いことになってしまいました。高層マンション群をどかすこともできませんしねえ。

これはぼくが大学を卒業する年ですから昭和三十八年（一九六三）の二月のことです。もう就職も決まって（東映動画＝現・東映アニメーション＝の最後の定期採用で入社）、ぼくはアニメーターになるぞって決めたときだったんですけど、そのときなぜか神田川を歩いてみようと思いたちましてね。井の頭公園が水源地なんですけど、そこから歩きはじめました。夕方にスタートして、両国橋のたもと、柳橋のところに出たときは午前二時でした。「よしッ、東京湾まで行こう」と思って下っていくうちに、わけがわからなくなって、とうとう東京湾ではなくて東京駅に出ちゃいました（笑）。トボトボ改札を抜けて、始発で帰ってきたのをおぼえています。

何年か前に、今度は家内と荒川を歩いてみたんです。河口から東京湾が広がるのを見たいと思いましてね。ところがそのときもまた、眼前に海は広がらないで、うやむやのうちにどこだかわからなくなって、残念ながら東京湾にはまたしてもたどりつけなかった（笑）。

半藤　あのあたり、昔は川がずいぶん街に入り組んでいたんですよ。私が文藝春秋に入ったのは昭和二十八年（一九五三）ですが、当時社屋があった銀座は運河に囲まれていました。しばしば通った飲み屋が「いづも橋はせ川」。もうどこへ行くにも橋を渡ることになる、という案配でした。それがいま全部高速道路になっちゃいましたからね。

宮崎 日本橋の風景もなんとかならないものか、と思います。

半藤 そうですね、あれはもったいなかった。また戻すとかなんとか言っていますけどねえ。それにはものすごいお金がかかるでしょうから簡単にはいかないですよ。

宮崎 なんだかヘソのない町になっちゃいましたね。そのうち将来的に、もしかしたらまた海に戻るのじゃないかと、ぼくは思ったりもしているのですが。

半藤 たしかにあのへんは、かつてのように、また海に戻るかもしれませんよ。なにが起きるかわかりませんから。

宮崎 ねえ、ほんとに。スタッフが、「津波が来てもここ（東小金井）は大丈夫でしょう」というから、「そんなことはないです。窓の外に黒い波がワーッと押し寄せるのをいまから想像しておいたほうがいいです」とぼくはいつもおどかすんですが（笑）。

半藤 いくらなんでもここは大丈夫なのでは？

宮崎　ここは海抜七〇メートルですが、でもわからないですよ。多摩という地域も、もとはといえば、海から出てきたところですからね。

半藤　海といえば、私たちボートの選手は利根川の河口、太平洋に面した銚子まで遠漕に行くことがあったんです。銚子まで、とひとことでいいますが、これがなかなかたいへんでした。ずっと川に船を浮かべて漕いで行くんです。隅田川を両国まで下って小名木川《おなぎがわ》を通って行くか、あるいは隅田川を上がっていって、鐘ヶ淵の向こう堀切の水門をくぐって荒川に入ってダーッと四つ木から小松川べりを下がって行く。それからまた運河を通って、浦安、いまのディズニーランドが建っているところへ出て、それで江戸川に出て上がっていくんですよ。

宮崎　いいですねえ。たいへんな行程ですね。

半藤　江戸川を柴又、市川を通ってずうっと上がっていくと、野田と流山のあいだに運河がありました。利根運河だったかな。いまそれは残念ながら土手ができて堤防の上が道路になってしまったのですが、昔はそのまま通れた。まあ、一カ所だけ艇を持ち上げて、運河の向こう側へ下ろすのですがね。それでまたずうっと行くと利根川に出るんです。ちょうど取手の下あたりへ出るんです。それから延々と坂東太郎を下がる。

宮崎 で、霞ヶ浦へと。

半藤 ええ。練習用の船で行くんですが、何日もかかるんですね。一日目は野田に泊まって、二日目に利根川を下がって佐原で泊まる。そして三日目に銚子へ向かうんですよ。帰りがたいへんでして、利根川は流れが強いのでなかなか上がれません。帰りもたっぷり二日掛かりでした。

競漕じゃないからゆっくりと漕いでいくのですが、それにしてもずうっと漕ぎっ放しです。雨にでも降られると悲劇ですけれども、天気がよければこれほど面白いものはなかった。利根川を上って押砂というところに行くと、川沿いの小高い丘に赤い鳥居が見えてくるんです。これが神崎《こうざき》神社（千葉県香取郡神崎町）といいまして、境内に「ナンジャモンジャの木」と呼ばれる御神木の、楠の大木があったんです。利根川にザブーンと飛び込んで水ごりをして上がり、「ナンジャモンジャの木」の下に立つと、一人前のボートマンになれるという言い伝えが東大ボート部にはありまして（笑）。みんなして一斉に飛び込んだりしましたよ。

宮崎 その神社は、川船の船頭たちが信仰していたものでしょうか。なんというか、羨ましい話です。そういう明るい青春の話を聞くと、ぼくなんかはなんにも発散できずに、モゾモゾモゾモゾやっていたなあ。運動といえば、デモで走っていただけでしたから（笑）。

関東大震災と隅田川

宮崎 半藤さんもよくごぞんじの新河岸川。この川は荒川の西岸を流れて岩淵水門の先で隅田川と合流するのですが、江戸のはじめの頃から、上流の川越から川船が上り下りしていたんです。その様子をなんとかしてアニメーションにできないかと思っていろいろ画策したことがあるんです。十分ぐらいのものをつくろうと思いたって、話を書いてみたら三倍の三十分になっちゃった(笑)。

半藤 おつくりになったんですか。

宮崎 いや、つくったのは話だけでした。調べてみると風景が平らなんです。川はすごく蛇行していたのですが、低い土手がずうっと続くだけで、その向こうは真っ平。変化といえば、ときどき富士山が見えるだけ、という(笑)。これはどうにもならないと諦めました。

半藤 ハッハッハ。文字通り「絵にならない」という話ですね。

宮崎 ならないんです。残念ながら断念しました。

半藤 昔は「関八州東に筑波西に富士」といってね、東に遠く筑波山、西に富士山がときどき貌《かお》を出す程度で、比較的最近まで、なあんにもなかったんでしょうね。

宮崎 ところで半藤さん、関東大震災のときの、利根川の船頭の聞き書きが残っていましてね。これが面白い話なんです(渡辺貢二著『利根川高瀬船』崙書房刊)。その船頭さんは当時二十五、六歳。かれらが小名木川に高瀬船を停泊させて、米俵を積んでいたときにグラッときた。小名木川はごぞんじのとおり旧中川と隅田川を結ぶ運河です。揺れがいったん収まってからその船頭さん、知り合いの家の無事を確かめに行って戻ってきたら、船のなかには人がいっぱい乗り込んでいたという。その数じつに八十人。降りてくれといっても降りないので、そのまま隅田川に出て、いちばん川幅が広い新大橋の下あたりに錨を打って二日間みんなで水をかけ合いながら頑張ったというんです。岸は燃え盛っていて近寄れない。川上からは炎を上げながら船が流れてくる。助けてくれと叫びながら流れてくる人もいる。空を丸太が燃えながら飛んでくる。というような、まあ、恐ろしい状況だったそうです。煙で視界が悪く目も痛い。真っ暗だったとも書いてありました。けれど自分たちの船が延焼したらおしまいだから、いっときも気を緩めることができなかった、と。米を積んでいたので、二日目には黒い川の水で米を炊いてみんなで食ったというんですねえ。

半藤　あり得たでしょうね。鉄道ができてからも実はけっこう舟運って生き残っているんですよ。小名木川でも中川でも、高瀬船が川べりにいっぱいありましたから。船底の平らなこれらの木造船が、まだまだ物資輸送の担い手だったですね。それに震災の火事は二日ぐらい続いたんですからね。

宮崎　その船頭さんは街を焼く火がすっかり消えてから岸にもどったそうです。どうにか凌いで全員が助かった。その船頭さん、救ってあげた人たちから感謝されて、小さなザルをまわして集めたいくばくかのお金をもらったそうです。貧乏人は身一つで逃げてきたから、それで助かったと語っていましたね。荷物にこだわった人間はみんな焼け死んだと。

半藤　そうなんです。東京大空襲のときもそうでした。荷物にこだわった人の多くが助からなかったんです。逃げていると、背中のリュックサックがまず燃える。カチカチ山です。けっきょく震災の教訓というのを日本人はあんまり活かさなかったんですね。ちゃんと伝えなかった。空襲のとき、震災の記憶を持っている人は上手に逃げましたが、私らみたいにそれを知らない連中はボヤボヤして逃げ後れました。さっきもちょっと言いましたけど、親父なんかさっさと自分一人で逃げちゃいましたがね。大事な息子をおきっ放しにして。

宮崎 それは、行きたいところがあったんでしょう。そっちのほうが心配だったんですよ（笑）。

半藤 息子の心配じゃなく向こうが気がかりだったのか（笑）。まあ、いずれにしても、あのとき震災の教訓を知っていた人はだいたい助かっていますね。

宮崎 まあ、このとき一人の若い船頭によって八十人もの命が助かった。すごいのですよね、人間って。それをアニメーションにできないかなと、そういうのを頭の中で転がすのですけど。どうやったら採算ベースに乗るかなあ、と考えだすといきなり難しくなります（笑）。

半藤 そういえば、堀辰雄は向島で育っていますね。おなじ向島でも、私の家よりだいぶ南で、今の東京スカイツリーに近いあたりです。そして堀辰雄は関東大震災でお母さんを亡くしていますね。避難した隅田川で辰雄自身は九死に一生を得るんですが、お母さんが水死している。

宮崎　ぼくの親父は九歳で関東大震災に遭って、本所の陸軍被服廠跡に避難して、かつ生き残った人間なんです。

半藤　ええッ！　被服廠跡に避難して生き延びることができたんですか！

宮崎　ええ、どういうふうに逃げたのか、なんで助かったのか。くわしいことはよくわからないのですが。

半藤　読者のためにちょっと説明しておくと、この場所にはいま、東京都慰霊堂と東京都復興記念館が建てられています。もとは陸軍の被服廠、軍服なんかをつくっていた工場ですね、それがあったのですが、これが赤羽に移転されて公園として整備されることになり、造成工事がはじまったのが大正十二年（一九二三）七月。大震災が起きる直前でした。というわけで、造成中のこの広場が絶好の避難場所になったわけですが、多くのひとが家財道具や布団を担いでここに逃げ込んだ。飛んで来た火の粉がそうした荷物に燃え移って、猛火が竜巻のような旋風となって避難民を飲み込んだそうです。その数三万八千人ともいわれておりまして、いずれにせよたいへんな犠牲者を出した場所なんですよね。

宮崎　ええ。じつは祖父さんが賢い人で、地震のあとあちこちから火の手が上がるのを見て、「これはだめだッ。すぐ飯を炊けッ」と言ったそうです。家族と工員さんたち全員で、まずは腹いっぱい食べた。そのあと祖父さんは「全員、足袋裸足で逃げろッ」と。逃げ込んだところが被服廠跡なんです。そこからどういうふうに逃げたのか、くわしくはわからないんですけど、親父は、妹の手をひいて助けたというのが自慢でした。「腹いっぱい食っていたのと、足袋裸足のおかげで助かった」とも言っていました。工員さんは全部で二十五人ぐらいいたらしいですけど、家族をふくめてだれ一人死なずに済みました。

半藤　ほう、そうでしたか。被服廠跡に逃げた人はほとんど全滅とばかり思っていましたから、ちょっと驚きですねえ。

宮崎　伯父なんかは気がついたら川向うの浅草にいたという話です。橋は燃え落ちていたはずなんで、風に飛ばされたんじゃないかというんですが、わかりません。祖父さん自身は、モノはもたずにありったけの金だけを懐に入れて逃げたんですけど、家族が無事だとわかったら、今度はすぐ汽車に乗って材木を買い占めに行ったんです。その金で買えるだけ買って、震災復興でそれを売って儲けて工場をすぐ再建しちゃったそうです。

半藤 そういえば思いだしました。黒澤明『七人の侍』で加東大介扮する侍が百姓にいいます。「戦《いくさ》というものは走って走る。走れるかぎり走る。走られなくなったときが死ぬときだ」と。まったくそのとおりです。お祖父さんはすごいものですね。東京大空襲のときも、ここは安全だと思って止まった人たちは多くが亡くなりました。走るだけ走って逃げなければいけません。

宮崎 おまえの祖父さんは偉かったんだって、親父がよく言っていました。女癖だけは悪かったけど、と(笑)。そこは半藤さんの親父さんと似ています。

半藤 やっぱり明治の人ですか。

宮崎 ええ。祖父の父親という人が、維新のときに長岡から出てきて団子屋をやったけどうまくいかなくて、そのあと質屋の後家さんと一緒になったが一子をのこして死んじゃって。つぎにその後家さんは本所割下水の元御家人崩れの宮崎某といっしょになって、それで宮崎姓になったんだというんです。で、祖父さんは継父にじゃまにされて、八歳のときに丁稚に出された、というような、まことしやかな話があるのですけど(笑)。「だから、ほんとうは、おまえの姓は宮崎じゃないんだ」とかなんとかって親父は言っていましたっけ。きっと、いろいろ粉飾されているんだと思います。聞いていくうちに、だんだん話が面白おかしくなってきた印象があります。

半藤 だいたい「ほんとか?」というような話は越後の人に多いですね。

宮崎 やっぱりそうですか。だいたい司馬さんの『峠』が出版されてから、祖父の出身地は長岡ということになったんじゃないかという説もあるんです(笑)。「どうやら河井《かわい》継之《つぐの》助《すけ》の部下だったらしい」とか、いつのまにかそういう話になっていましたから。これはきっと親父のつくり話だな、とぼくはニラんでいます。ぼくの伯父が、戦争中に人を越後に差し向けて調べさせたけど、「つまびらかならず」と報告があったというので、やはりこれはつまびらかじゃないんです（笑）。

半藤　それにしても、お祖父さん、偉い方ですねぇ。

宮崎　偉いかどうかはさて置いて、話を聞くと面白かった。祖父さん、昭和の金融恐慌のときも、つづく世界恐慌でも全然不況じゃなかったんですって。その頃、ある商品が大当たりしたからなんです。どういう手づるか知りませんが、祖父さん、アメリカ製の獣をつかまえるトラップという鋼鉄の仕掛けを手に入れた。餌を置いてガシャンと生け捕るやつです。それを勝手にそっくり真似してこしらえましてね。いまでいう著作権違反のコピー商品です。タイガー印をアニマル印といったのか、アニマル印をタイガー印といったのか、そんな名前をつけて売ったら大陸でどんどん売れたというんですよ。それで不況知らずだった、と。本家アメリカの会社が察知して、わざわざ調査にやって来たというのですからそうとう売れたのでしょうね。これも知らん顔をして通したようですが（笑）。

半藤　ハッハッハ。まったくすごいもんです。

川の街・東京

半藤　ところで、その新河岸川のアニメーションというのは、今度の『風立ちぬ』にも入れようとして考えたのですか。

宮崎　違います。全然、別です。ぼくは川の舟運のことが好きで、いろいろ調べているうちにつくりたくなりましてね。劇場用のアニメーションみたいな大げさなものではなく、郷土資料館に入れるような五分ぐらいの短いものだったらつくれるんじゃないかと思ったんです。で、スタッフも決めたんですよ。そいつがいろいろ調べに行ったりして、ああでもないこうでもないと、いろいろ考えたんですけど、話を書いたら長くなっちゃった。「これではお金がかかりすぎだ、やっぱりだめだ」となってしまいました（笑）。

郷土資料館ってあまり人気がないようで、訪ねていくと真っ暗だった部屋に電気をつけてくれる、みたいなところも少なくなくて、どこもたいてい空いているんです。立派なものが展示されていたりはするのですけどね。舟運についての展示も多少はありますが、アニメーションでやれば、ほんとに五分ぐらいで、船がどういうふうに動いていたか、どういうふうに戻ってきたかということは、一目でわかります。来た人がボタンを押せばパッと映るようなものをつくりたい。そういう展示ができないかなという妄想は、まだつづいています。

半藤 舟運が、日本の近代化のためにどのくらい役に立ったかというのは、もっと知られてもいいですよね。なにしろ船一艘で荷物ときたらトラックの何台分も積めるのですから。

宮崎 ほんとにそうですね。子どもがわかるような形のものってないんですよ。これは残念ですね。

富士山が噴火して、礫や灰が降り注いで関東平野が生成されて、利根川、古入間川、隅田川が平野を裂き、滔々と流れはじめる。大雨で大河がウワァ〜ッと流れ出したときには、川は渡れません。もう江戸は突っ切れない。関東平野は川だらけです。それが大雨のたびにウワァ〜ッと動くから、氾濫原はどうにもならない土地だったわけですね。それを、江戸幕府は営々とつけ替え、向きを変え、埋め立てして、江戸をつくっていった。それを五分でわかるフィルムにできないかと、ぼくはまだ妄想しています（笑）。

新河岸川も小名木川もそうですが、江戸の街をめぐる川の川岸には風呂屋の舟があったというような、人びとの暮らしに密接した細かい話も面白いですね。小さな風呂桶だとは思いますが、船頭たちは仕事を終えると風呂舟に入っていたそうです。ちかくには飲み物や菓子を売る舟屋台もあって。そういう面白い話がいろいろあるので、そうすると、欲張ってきて、三十分になっちゃうんですよ（笑）。

半藤　やっぱり三十分では長すぎますか。

宮崎　長すぎますね。でも、イギリスの地方都市に行ったときに、そこの小さな郷土資料館で何百年という時代の流れがあっという間にウワァ〜ッと変わっていくような映像を見たんですよ。これはすごい、ぼくにもできるんじゃないかと思って、そして、まだ思っています（笑）。

半藤　東京の堀、運河、川はほとんどすべて埋めちゃって、川は道路に、舟はトラックになっちゃいました。もはや、いまの子どもたちには想像もできないでしょうからねえ。

宮崎　なにかそういう形で、自分の住んでいるところに関心を持てるような映像ができないかなあと思うんですけどね。

半藤　そういう楽しい映像は、日本ではまだどこでも見たことがないですね。

宮崎　ええ、ほんとに。江戸東京博物館なんかも、そういう映像があれば、一発でわかることがいっぱいあるのに、と残念に思うんです。

ただ、太田道灌の城といまの皇居がどういう位置関係にあるのかとか、そういうことまでわかるようにつくるにはどうしたらいいのかがわからない（笑）。重ねなきゃいけないのですが、映像で重ねるのはほんとに難しいことですからね。なにかいい方法はないだろうかと、ふと思い出しては考えたりしているんです。

半藤　宮崎さんが、芥川龍之介を主人公にした探偵モノを構想されたことがあるというのをだれかに聞きましたが。

宮崎　それもかたちにはなっていません。ぼく、芥川龍之介の若いときの文章を読むと、いいやつだなあと思いまして（笑）。ほんとうにいいやつなんですよ。漱石に読んでもらいたいがために、わざわざ雑誌をつくるんですからね。冷たいシニカルな顔をした写真がありますでしょう？　ああいう顔じゃない陽気な青年の芥川を、主人公にしてみたいと思ったんです。

半藤　ということは、漱石の最晩年ですね。

宮崎　ええ。漱石がトンチンカンな推理を滔々と述べるというのも面白そうだなと思った。つまり一般的なイメージの、漱石像と芥川像をぶっ壊したかったんですけどね（笑）。

半藤　そういうのをアニメでつくれますか。

宮崎　劇場長編はちょっと無理かもしれないけど、テレビのスペシャル番組くらいのものなら、知恵を使えばできないことはないと思います。

半藤　面白いことに漱石や芥川といった人たちは、生身の俳優が演じると、どうにもアホらしく見えるんですよ。

宮崎　その点、アニメーションのほうがごまかしが利きます。

半藤　アニメーションのほうがずっといいでしょうね。

宮崎　それこそ「漱石山房」もありありと描けるわけです。いや、夢想するんですよ。夢想するだけですが、そこに鈴木三重吉が出てくるとか。

半藤　ヘチマみたいな顔の三重吉が酔っぱらって出てくる？　三重吉が漱石の毎週の面会日を木曜日と決めて、これがのちの「木曜会」の起こりとなったわけですがね。そこに久米正雄も出てくる。菊池寛も、松岡譲も出てくる。先輩格の寺田寅彦、内田百閒、安倍能成と、みんなにぎやかに出てくる。そしていろいろゴチャゴチャとやる。

宮崎　いいですねえ（笑）。ええ、そういうエピソードも入れたいですね。

半藤　夏目家の人が、もうお帰りくださいって人力車呼んで乗せて帰すんですが、ぐでんぐでんの三重吉さん、人力車でグルーッとあたりをひとまわり回って、また「こんにちは」って入ってきたというあの逸話なんかを、ぜひ入れていただきたい。

宮崎 漱石というと、みんなお札になっている漱石を思い出すのでしょうが、そうじゃない漱石を、というふうなことを、夢見るんです。どうせなら、隅田川を出したい、とか。久米正雄の『競漕』と混ぜられないか、とかね。

半藤 そうなったら野球をやる正岡子規も出したいですな。明治三十五年（一九〇二）に死んでしまうから無理か。

宮崎 ええ、そうすると、どんどん長くなっていくんです（笑）。

第二部

映画『風立ちぬ』と日本の明日

3・11のあと

半藤　映画『風立ちぬ』を拝見しました。

宮崎　恐れ入ります。

半藤　いままでの宮崎監督作品と全然違うといいますか、大人を相手にした映画をおつくりになったと思いました。八十歳のジジイが相手とは言いませんけれども、かなり成熟した人たちを対象にしておつくりになった。これまでのような、いわゆる子どもさん向きのファンタジーと言いますか、あの世界からポンと抜け出して昭和を描いたという印象を私は抱きました。この先、宮崎さんたいへんだぞ、と。もっとも、宮崎さんは大人のなかにも子どもはかならずいる、大人も子どもも同じだ、とお考えでしょうが。

宮崎　いや、この先はもうないから大丈夫なんです（笑）。

半藤　そんなことないでしょう。八十三歳の私でさえまだ現役でやっているんですから。

宮崎　アニメーションは机に向かってウウーッと長時間集中しなきゃいけない作業ですから、そういうことをやるのはもうやめたほうがいいかな、と思うんです。まわりに迷惑がかかるだけですから。

半藤　それは本心で？

宮崎　ええ、本心です。じつはファンタジーは、今ものすごくつくりにくいんです。

半藤　それはやっぱり3・11が影響していますか？

宮崎　いえ、その前からです。リーマン・ショックが来まして、時代の歯車が回り出したのに、いままでの発想ではダメだ。ファンタジーじゃなくて、何かちがうものをつくらなきゃと思いました。今回の作品を準備している最中に3・11が起きました。関東大震災の絵コンテを描き終えた時にちょうど東北の震災が起きまして、ほんとうにどうしようかと思いました。けれどぼくらは地震のパニック映画をつくっていたわけじゃないので、地震や災害のうけとめ方については、たぶん間違いはないだろう、だからこのままつくろう、と思いなおしたわけです。でもスタッフのなかには、大地震のシーンを見たくないという人間がいました。いまでは少し変化しているかもしれませんけど。

半藤 あの時点ではそうでしょうね。

宮崎 でも、一カットも変えませんでした。

半藤 そうですか。前回（第一部）も少しお話しましたが、私も昭和二十年（一九四五）三月十日の東京大空襲に遭っています。もうすぐ十五歳になる、そんな子どもでしたけれども、焼け跡の光景というのは脳裏に刻み込まれて、何十年経っても忘れることができません。3・11のときのあの津波のあとをテレビで見たときには、またもういっぺんおなじ悲惨を見ることになったかと驚きもし、そして愕然としました。

ただ、おなじといっても大空襲のほうは少し暗いんです。焼け跡の色は茶色がかった黒と言いますか、濃い茶色だったですけれども、3・11の津波の跡は、テレビでは白っぽく見えました。もっとも直後に雪が降ったからかもしれませんがね。それだけは違いましたけれども、あとはまったくおなじでしたねえ。今度の映画で、宮崎さんが関東大震災をかなり丁寧に描かれたのは3・11の影響があったのかなと、思ったりしたのですが、じっさいはそれより以前から、ちゃんと描くことにしていたわけですね。

宮崎 それでも映画では、いちばん酷いところは描いていないです。描いたのは、その外側です。父親から聞いた話とか、いろんな人の体験談などをそれなりには調べましたけど、ほんとにその周縁のところだけです。

半藤 ですから映画はものすごく印象深いスタートでした。じつは私の母親が、いまも御茶ノ水にある、浜田病院という産婦人科の病院で関東大震災に遭っているんです。お産婆さん、いまは助産師と言うんですか、それを養成する学校というのを病院が営んでいたんですね。母はまだ結婚前でそこの生徒でした。それで大震災に遭いまして、御茶ノ水から上野の山まで逃げたというんです。『風立ちぬ』には、まさに私の母親が逃げ込んだ震災直後の上野の山が出てきて、もう目が釘づけになりましたよ。母の話では、山の上はもう押しくら饅頭で人間で溢れ返っていたといいます。

宮崎 凄かったようですね。夜中じゅう人を探す声が上野の山に響いていたといいます。

半藤 うちの母親は、二日間山に籠もっていたと言っていました。映画を見ながら「娘時代のおふくろがあの上野の山にいて、あの東京の惨憺たる光景を見ていたんだなあ」と、ちょっとしみじみしました。

宮崎 そうでしたか。映画をつくったぼくらとしては、ほんとにありがたい感想です。

半藤 いずれにしても、関東大震災のあの惨憺たる日本から映画を始めたというのは、昭和の入り方としてはなかなかいいぞ、と思いましたよ。

宮崎 ごぞんじのとおり堀越二郎と堀辰雄は同世代なんです。堀越が明治三十六年

(一九〇三)生まれで、堀がその翌年に生まれています。堀越は群馬県藤岡の人ですが、あのときまだ大学生にはなっていないので、東京にいたかどうかは怪しいもんなんです。でもいることにしてしまいました(笑)。やっぱり関東大震災を描かないと昭和は始まらないと思いましたので。小説家の芥川龍之介も堀辰雄も関東大震災に遭っていますね。

半藤 私の母親は辰年ですから、ってことはそうか、おふくろは堀辰雄さんとおない歳なんだ。

宮崎 いまインターネットで調べると、上野広小路の震災前の写真なんか、ぞろぞろ出てくるんです。大正時代の建物は不思議なものが多くていまの感覚では明治なのか大正、昭和なのかわからなくなる。ですから江戸時代の建物にしてしまいました(笑)。地震のあと、電車は走っていなかったんじゃないかと疑問を呈する者もいたんですが、上野あたりを電車がノロノロ動いていたという話を読んだ記憶がありまして……。

半藤 走っていた路面電車もあったんじゃないですか。

宮崎　電気系統がそれほど整頓されていなかったはずだから、たまたま生きていた回線があったんじゃないかと。ちょっと怪しいかな、とも思いましたが。

半藤　路面電車は日露戦争前から走りはじめているんです。なにしろ漱石の『坊っちゃん』は先生をやめて街鉄（路面電車）の技手（技術者）になっています（笑）。あの当時は東京市電だけでなく、路面電車の会社がいくつもあったので動いていても不思議ではないです。

宮崎　半藤さんにそう言っていただけるとありがたい。肩の荷が下りた感じがします。

半藤　大正時代もそうでしょうけど、昭和の初めの東京を描くのは、ずいぶん苦労なさったんだろうなと思いました。

宮崎　はい。嘘を片っ端からついています（笑）。隅田川の交通として使われていた蒸気船の「一銭蒸気」に登場人物が乗る場面が出てきますが、まず一銭蒸気の形がよくわからない。曳き舟みたいなものがあって台船を引っ張ったんだろうということだけはわかったのですが、あとはいいかげんに描きました。

半藤　戦後の佃《つくだ》の渡しには確かに曳き舟がありましたねえ。私は昭和十年（一九三五）ぐらいに隅田川の一銭蒸気を見ているのですが、そっちは曳き舟じゃなかったような気がします。

宮崎　ああ、そうですか。明治時代の写真があるんですが、明治じゃちょっと違うなあと思いまして。誰かの小説でそんなふうに書いてあったと思ったんですが。

半藤　でも宮崎さん、よくまあ一銭蒸気まで調べたなあ、と感心しました。あの一銭蒸気は貴重な絵ですよ。

宮崎　いや、どうやって上手に嘘をつくかというのがぼくらの商売ですから（笑）。だって「花川戸」という港なんかなかったんです。描いてしまいましたが。

半藤　浅草の花川戸ならばあのあたりに渡し場があったような気もしますが、町ではなかったように思いますね。

宮崎　それも嘘をつきました。あそこは公園予定地になっていたので建物はなにもなかったはずですが、屋台を描いているうちに、そこに町があるようになってしまって（笑）。だれも気がつきませんが、そこはちょっと忸怩《じくじ》たるものがあります。

気の強い母・遊び人の父

半藤 宮崎さんのお母さんはあのときはどうなさっていたんですか。

宮崎 ぼくの母は山梨の農家の生まれで、そのときはまだ山梨にいたと思います。

半藤 では大震災の経験はないわけですね。

宮崎 関東大震災のとき、大正三年（一九一四）生まれの父はまだ九歳ですが、母親のほうが年上でした。ぼくが年上の女性と結婚すると言ったときにおふくろが文句を言わなかったのは、自分がそうだったからではないかと（笑）。じつは就職するときに戸籍謄本を取って見たら、母親の実年齢がはじめてわかりました（笑）。それと親父の隠された半生が全部あきらかになったんです（笑）。親父にはおふくろとの結婚の前に最初の奥さんがいたということが、はじめてわかった。しかも学生結婚なんです。聞いてみたら、生きるの死ぬのと大騒ぎして結婚して、一年もたたないうちに相手が結核で亡くなっちゃった。「あんなに大恋愛の末の結婚だったから、大丈夫だろうか」ってまわりはずいぶん気を揉んだそうです。そうしたら一年もたたないうちにぼくらのおふくろと恋愛結婚することになって、まわりがのけぞった、という話があって（笑）。そういう男なんです。

半藤 立ち入ったことを聞くようですが、お父さんの最初の奥さんとのあいだには子どもさんはいなかった？

宮崎 いなかったんです。一年もたたずに結核で亡くなっちゃったので。父は自分の結核が伝染したんだって言っていました。父も結核を患っていますから。

半藤 堀辰雄と一緒ですね。宮崎さんのお父さんは、いくらか堀辰雄の出自と似ていますね。堀辰雄は父親が……。

宮崎 違うのですね。実の父と育ての父とが。

半藤 堀さんの実父の家は侍の出ですね。広島藩の士族。手元の資料には「父親の堀浜之助は東京地方裁判所の監督書記」とあります。

宮崎 お母さんの志気《しげ》さんは、写真で見るときりっとした人ですね。

半藤 たいした美人なんですよ。きっとモテたでしょうね。

宮崎 堀浜之助の本妻が広島から上京してきたので、志気さんは平河町の堀の家を出て向島に移ってその後、再婚します。それが養父の彫金師。

半藤 いまは町名がなくなりましたが、向島須崎町で堀辰雄は育っています。東京スカイツリーのちょっと北あたり。

宮崎 北のほうになるんですか。

半藤 ちょっと北なんですけれども。昔は曳舟川という川がありまして、北原白秋の「金と赤とがちるぞえな」とか何とかっていう有名な「片恋」の詩にでてくる曳舟あたりです。

宮崎 隅田川がまだきれいだった頃ですね。

半藤 はい、隅田川も曳舟川も。そこの川っぺりで幼少時代を過ごしたのだと思います、堀さんは。

宮崎 水泳が得意だった。

半藤 と、言っていますね。堀という名前は実父のほうの名字ですね。

宮崎 義理のおやじさんとはうまくいっていたみたいですね。ずっと実の父と思っていたそうですから。私の父と堀辰雄の、最初の結婚の境遇は似ていますが、あの頃は結核だらけですね。ほんとうにすごく多かった。そしてあの病気は死病だったんですね。似た境遇の三人が重なって、ぼくは堀辰雄と堀越二郎と自分の父親を混ぜて映画の堀越二郎をつくってしまいました。もうどのへんが境かわからなくなっています。

半藤 私の母の話を少しいたしますね。何かモノを書くときは、どうしても父親のほうが書きやすい。母親のことを書いたりしゃべったりするのは、どうも、なんというのか、照れのようなものがあるんでしょうかねえ。じつを言うと人間的には父親より母親のほうがはるかに偉いんです。あの人は、当時としては時代の先端をゆく良き明治人だったですね。

宮崎 ああ、そうですか。

半藤　とにかく職業をもとうと、浜田病院で学んで名産婆になったんです。自宅の一角を診察室に改造して助産院を開きまして、ずいぶんたくさんの赤ちゃんを取り上げています。いまでも向島あたりに行くと、「半藤さんのお母さんに取り上げられました」という人に、何人か出くわしますからね。かつての赤ちゃんたちはみんな大きくなって、戦後を生き抜いてもう老人になっていますけど（笑）。ところが母は、自分の子どもを三人死なせているんです。私の弟二人、妹一人、いずれも赤ん坊のときに風邪をひいて、それをこじらせてしまって肺炎で。

宮崎　あの頃は、肺炎を起こすとちっちゃい赤ちゃんなんかはすぐに死んじゃいましたからね。

半藤　産婆さんというのは困ったことに、夜中に出かけていくことが多いんです。潮の満ち引きの関係なのかどうか知りませんが、妊婦さんの多くが夜中に産気づく。よく真夜中に、コンコンと玄関の戸を叩く音がしたのを私もおぼえていますよ。「すいません、生まれそうなんです」と言われて母親は出て行っちゃうんです。親父は大酒飲みですから、夜はまず例外なくベロベロに酔っぱらってイビキをかいている。だから子どもたちが掛け蒲団をはいで素っ裸で寝ていても全然気がつかないんですね。もちろん遊び疲れて寝ているチビの私も気づきません。で、私の弟・妹・弟と三人が、生まれるたびに死んじゃったんですよ。いちばん下の弟が死んだときには、さすがに親父が怒った。「おまえが産婆の仕事をやっているからうちの子どもがみんな死んじゃうんだ。人の子を助けて、てめえの子を殺す馬鹿親がどこにいるッ！」と怒鳴りましてね。

宮崎　自分は酔っぱらって寝ていたくせに（笑）。

半藤　おふくろも負けずに「大きな口をきくな、酔っぱらってひっくり返っていたのは誰だ！」なんて言い返すものだから、ものすごい夫婦喧嘩でした。でも母は、そのあとぷっつり産婆をやめてしまいました。

宮崎　そうでしたか。それは、それは。

半藤　聞くところによると、宮崎さんのお母さんは病気でずいぶん長いこと床に臥せっておられたようですね。

宮崎　ぼくの母親はカリエスを患いましてね。

半藤　正岡子規も罹《かか》ったカリエスですね。あの病気は痛みが酷いのですってね。

宮崎　ぼくが小学校三年生ぐらいのときに腰が痛くなって、入退院をくりかえしました。ストレプトマイシンを闇市に親父が買いに行っていたこと、それからパスという飲み薬があって、それを一回分ずつ秤で量って小分けしていたこと、そういうことをおぼえています。母親はぼくが小学校時代には起きることができず、中学校のときも無理で、起き上がって家の中を歩くようになったのは高校時代の終わりごろじゃないかと思います。長患いでした。

でも子規の時代と違って、もうストレプトマイシンが出回るようになっていたので、うちのおふくろはなんとか助かったんです。立って歩けるようになりまして、電車に乗って出掛けるとか、そういうこともできるようになりました。

半藤　ああ、よかったですね。でも、そうすると少年時代の記憶にあるお母さんは、ほとんど寝ていらっしゃる。

宮崎　そうですね。ぼくが小学校三年生のときから、人型のギブスを敷いてその上に寝ている。ずーっと母親はそうでした。でも寝ている母親といろいろ話をしました。それこそ「文藝春秋」を読んでいるような母親でしたから。

半藤　へえー。

宮崎　文化人は戦後になったとたん、それまでと言うことがコロッと変わったと言って怒っていたのをおぼえています。そうそう、ぼくが生まれたときの話もしてくれました。ぼくがお腹のなかにいるときに、この子は将来外交官にしたい、と思って、母は難しい本なんかを一生懸命に読んで胎教にいそしんだのですって。臨月ちかくになったある日、父親が、映画に行こうと言いだして、二人で見に行った映画があろうことか『フランケンシュタイン』。それが、「もう怖くて怖くて、震え上がって、それでおまえが生まれたんだよ」と言っていました。胎教計画がオジャンになってぼくが生まれたんです（笑）。

半藤　ハハハ。でもいろんな話を聞けたことはよかったですね。ご病気が長かったりすると、現代風に言う母子のスキンシップとか、そういうものはあんまりなかったわけですか。

宮崎　ぼくは母親が病気になる前から、ちょっとへんな子だったみたいです。「おぶさったことがない子だった」って言われました。ずーっと虚弱で、しょっちゅう腹が痛くなっていました。でもおんぶ紐を出すと「ごめんなさい」と言って泣いて逃げたって言うんです。それからこれはよくあることかも知れませんが、新しいものを着せようとすると、とても嫌がったらしい。これだけは、いまもまったく変わりませんけれど（笑）。

両親とも死んでしまったのでいまさら聞くわけにもいかないですが、四人兄弟のうちぼくだけがそういう具合にちょっとへんだったみたいです。ぼくがもの心ついた頃は、両親がもしかしたら、あまりうまくいっていなかった時期だったんじゃないかなあと思ったりもします。

半藤　幼い頃はきっと愛情に飢えていたんですよ。

宮崎　農文協（農村漁村文化協会）から出ている本で、おぶい方を研究した本というのがありまして、かつては母親の素肌に赤ちゃんをくっつけて、おぶうという方法があったのですって。その上から着物を着ておぶうというやり方が。こんなふうに抱かれると赤ちゃんは情緒的に安定するでしょうね。

半藤　私も、じつはおんぶをしてもらった記憶がない。母親が助産師の仕事で一生懸命の時代の長男でしたから、まずは放ったらかし、ずいぶんキツイ母親だなという印象が強いんです。

宮崎　そういえばぼくの母も気の強い女だったな。そんなわけでカリエスは治りましたが、亡くなったのはまだ七十一歳でしたから、もう少し生きてほしかったと思いました。最後の四、五年はリウマチで動けなくなって、とことん父親に面倒をみさせましたね。

半藤　ああ、お父さんが介護された。

宮崎　とにかく病院に行くことを拒むので、ぼくら息子四人で「頼むから入院してくれ」と言っても聞かないんです。「まったく男が四人も揃って情けない」

と嫁さんたちから全員がバカにされました。父親は女遊びをいっぱいやったようなので、その罪滅ぼしのつもりだったのか「いいよ、婆さんがそう言うなら」って、自宅介護をつづけていました。最後は入院しましたが、親父はまめに病院に通って母の面倒をみました。

半藤 私のところはまったく逆で、兄弟四人揃って「頼むから早く逝ってくれ」と（笑）。私の母親は百歳まで生きちゃったんですよ。私は母に会うたびに「頼むから早く逝ってくれ。じゃないとオレのほうが先に死んじまうよ」とよく言ったもんです。「俺は親不孝もんだが、親に先立つ不孝者はないと昔から言うじゃないか。これ以上親不孝はしたくないから、早く逝ってくれ」って頭を下げて頼んだのですがね、ダメだって聞かないんですよ。「私は百まで生きるって決めたんだ」と言い張って、どんどん元気になっていきまして、けっきょく言葉どおり百歳まで生きました。小泉純一郎が総理大臣の時代でしたが、百歳の記念に金杯と賞状をもらいました。それで百歳記念の写真を撮った翌日から、「もうやめた」と言って、物をあんまり食わなくなったんです。私も「食ったほうがいいよ」なんて言わなかったです。「生きるのはもうやめたよ」なんですから。

半藤　はあ、見事ですね、それは。

宮崎　それで百歳と三カ月で死にました。

半藤　自分から物を食べなくなって亡くなるというのは、いいですね。

宮崎　ですから最期はまあ老衰死です。

半藤　立派なお母さんですね。

宮崎　自分で言うのもなんですが、終始一貫、男勝りの奮闘をして立派な死に方をしてくれたので、母親というのはどうも書きづらくてしようがない。今日は珍しく話しちまいましたがね。

宮崎　ぼくの父はこんな映画を観たとかストリップへ行ってきたとか、そういうことを平気で家でしゃべる男でした。ぼくをつかまえて、「おまえ、まだ煙草も吸わないのか」とか、「オレはおまえぐらいのときには芸者買いしていた」とか、そういうことまで言っていました。で、ぼくは絶対こういう男にはなるまいと思った（笑）。だからぼくは二十歳までは煙草を吸わなかったです。

半藤　ほう。文字どおり反面教師であったと。

宮崎　で、成人してから吸ったら、「ほんとにこれは気持ちいい」と思いまして、それ以来一度もやめようと思ったことないです。ただし吸いすぎると不味《まず》くなるんですよね。仕事で追い詰められると、いつの間にか吸い殻が山のように溜まってきて、そうなるとたいがい不味くなっています。美味しく吸うためには本数を減らすことだ、とある日気がついて、煙草に番号を書きまして、十本入る万年筆のカートリッジに入れていました。吸う本数をまもろうと努力したんですけど、これはダメでした。すぐ継ぎ足すから（笑）。だからこれもあきらめました。

半藤　そうですか。私も昔は吸ったんだけど、いまは全然吸いません。その代わり酒は呑みはじめてから今日までやめたことがない。江戸時代の俳人、宝井其角は酒呑みで、「十五から酒を呑み出て今日の月」という句を詠んでいます。ひとが呑みはじめるのはたいがい十五くらいからですね。ただし数え年だから、満で十三か十四歳かな。自慢じゃないが私なんぞは五つからです（笑）。というのも酒好きの親父は、うちで呑むときも酒の相手が欲しいんですね。それで五歳の私をつかまえて「おまえもやれ」と（笑）。

半藤 うわっ、飲酒歴、そろそろ八十年ですか。

宮崎 宮崎さんの煙草じゃないが、若い頃は、不味くてしょうがなくなるまで呑んだことがあります。

半藤 ずいぶん召し上がってこられたようですね。

宮崎 浅草の呑み屋でダーッと徳利を二十六本並べたことがありました。おしまいのころはもうほんとに不味かった（笑）。

半藤 不味いも美味いも、まあ、すごいですね、二十六本ですか。一升瓶二本と六合ですよ。ぼくは、クルマを運転して子どもを保育園に送り迎えする義務が発生して以来、そうそう簡単に呑みに行けなくなりました。外で呑むのは、いまは一年に一回か二回ぐらいです。いつもは毎晩缶ビールを一本ぐらい呑んで、あと自分の部屋に入ったときにこっそりウイスキーをちょっとだけ注いで呑むくらいです。

半藤　お父さんはどうでした。

宮崎　酒は呑まない男でした。それで甘いものを食う。煮豆が大好きで自分でも炊いていましたね。日曜日に突然小豆を煮はじめたりして。

半藤　呑まないで遊んでいたのですね。

宮崎　ぼくの父は、母親が死んでからは結婚前のことを怒濤のように話しはじめたんです。いろんな話をずいぶん聞きました。昭和十二年（一九三七）にはじまった日中戦争のときに一度兵隊に取られているんです。ぼくの兄貴は昭和十三年（一九三八）生まれですから、父は生まれたばかりの赤ん坊を残して召集されているんですね。「軍隊のメシはもう不味くて食えなかった。毎度毎度サンマの開きとモヤシの味噌汁。それでも喜んで食うやつがいて呆れ返った」なんて言っていました。で、配給される軍の飯はそいつにくれてやったって言うんです。おふくろが毎日面会に来て、重箱に詰めてきたものを食って、それで生き長らえていたというのですが……。

半藤 贅沢な兵隊さんですねえ。そんな兵隊がいたんですかね。

宮崎 ほんとか嘘かわかりません。そしていよいよ部隊が中国に行くことになったときに、部隊長が兵隊全員を前に訓示をしたのだそうです。「兵隊の数がちょっと余っている。残りたいやつは申し出ろ」と。「そんな女々しい者はだれもいないだろう」と期待しながら言ったのでしょう。ところがただ一人、親父が「女房と赤ん坊をおいては征《ゆ》けません。残らせて下さい」と申し出た。可愛がってくれていた軍曹が、情けないと二時間も自分の前で泣いていた、という話がありまして。「いつ殴られるかと思いながら直立不動で、相手が泣いているのをじっと聞いていた」と親父は言うんですけどね。いくらなんでも二時間は泣かないだろうと思いますよ。これもたぶんサバを読んでいます（笑）。それで帰ってきて、戦地にはけっきょく行かずにすんだ。おかげで昭和十六年（一九四一）一月にぼくが生まれたわけです。

半藤 なるほど、それで少しわかりましたよ。宮崎さんがこんどの映画で、灰色といわれている昭和の時代にこだわって描こうとしたわけが。つまりその時代を生きたお父さんお母さんを何とか理解してみようとされたのですね。

とっつきづらかった堀辰雄

半藤 それにしても、なぜ堀辰雄なのかと、今日はぜひとも聞きたいんですがね。やっぱりご自分にちょっと似ていますかね、境遇的にも。

宮崎 似てないと思います。むしろ堀辰雄さんの小説は、読んでもその魅力がよくわからなかったんです。最初に堀辰雄作品に出会ったのはたぶん古本屋ですが、立ち読みしてこれはぼく向きじゃないなと思って本を戻してしまった記憶があるぐらいですから。なんだか全然響かなくて。正直言って、『風立ちぬ』なんて「なんでみんな夢中になって読んでいるんだろう」と不思議でした。「なにかを喪失した経験がないとあの本は読めないのかなあ」と、ずいぶん長いあいだそう思っていました。しかしその後、やっぱりわからなきゃ話にならないだろうと思って何度も読みました。堀辰雄がずうっとぼくに付きまとっていたということですね。

半藤　堀辰雄の作品は、いつ頃から読みだされましたか。

宮崎　出会いは若い頃ですが、繰り返し読んだのは五十歳を過ぎてからでしょうか。それでもまだピンと来なかった。ですから全然愛読者でもなんでもないです。これもずいぶん前のことですが、家内と上高地に行ったときに、女房がちょっと足をくじいてしまったので、二人してゆっくりゆっくり歩いていましたら、初老の女性がカメラを構えて、ぼくらに「焼岳《やけだけ》はどこでしょう?」と聞くんです。焼岳はごぞんじのとおり、河童橋のすぐ横にあります。「あれがそうですよ」と答えると、その女性は、なんだかもう動転している感じなんですよ。少女時代からの念願がかなって、ようやくこの地に来られた、という感動に浸っていることがなんとなく伝わってきました。そのときぼくは、「こういう人が堀辰雄の愛読者だったのではないか」と思いました。自分がいちばん美しかった時を、時代のせいで失ってしまった人たち。そういう人たちが堀辰雄の読者ではないかなとそのとき勝手に想像したんです。

半藤　なるほどねえ。面白い。愛読者の姿を想像するということも、創作家にとって大切ですね。じつは私、編集者時代に、ロシア文学者で堀辰雄の同級生で、鎌倉に住んでいた……。

宮崎　神西清《じんざいきよし》さん？

半藤　そう、神西清。神西さんを訪ねて行ったことがあるんです。そのとき「君は文学が好きかね」なんて聞くから、「いや、あんまり好きじゃないんですけれども、永井荷風は好きです」なんて言ったら、「永井荷風かね。君ね、やっぱり文学は詩だよ」と言うんですよ。「詩を散文で書ける人というのは日本に何人もいないんだよ。そのなかでいちばん優秀なのが堀辰雄だ」と。

宮崎　ああ、やっぱりそういうふうに評価していたのですか、神西清は。

半藤　神西さんは、堀をうんと褒めるんですよ。じつは私、堀辰雄を文春に入るまで一冊も読んでないんです。で、あんまり褒めるので、「そんなにすごい作家なのですか」と聞くと、「とにかく騙されたと思って読みたまえ」と言われましてね。それから読んだんです。読みはじめは『大和路・信濃路』からでした。

宮崎　晩年の作品ですね。

半藤　そうです。読んでなるほどと思いました。「詩を散文で書く」という意味が少しはわかった気がしたんです。それで『風立ちぬ』、そして『菜穂子』も読みましたが、率直に言って、この杜撰《ずさん》な頭にはわからなかったです。

宮崎　ぼくもそうです。いや、ぼくの方はもっと杜撰ですから。

半藤　でもいくつか印象に残っている場面がある。宮崎さんの映画を観ていて、あ、ここは堀辰雄だ、ここも堀辰雄だと、思い当たることがありました。

宮崎　あ、そうなんですか。まずい（笑）。

半藤　まず最初に二郎が菜穂子と再会し恋におちる場面。ヒロインが絵を描いているところに一陣の風が吹く。小説のほうも節子が高原で絵を描いているところに風が吹いて、パタンと画架（イーゼル）が倒れます。それで物語がはじまる。宮崎さん、ヤッタなあ、と。

そしてなによりもいちばん印象的だったのは、二人が暮らす黒川家の離れに二郎が帰ってきた場面です。菜穂子さんが病床で寝ていて、二郎は座机に図面を広げて仕事をはじめる。すると菜穂子がじっと見つめて「こうやってあなたのお側にいさえすれば、私はそれでいいの」だったか、「あなたが仕事をしている姿を見るのが私は好き」だったか、そういうような台詞がありました。あれは、堀辰雄の作品の美しい一場面を、まったく違う舞台設定で見事に活かしている、と見ましたよ。

宮崎 そんな文章が堀作品にありましたっけ。

半藤 あります、あります。

宮崎 すみません、忘れています。

半藤 私は宮崎さんに堀辰雄が乗り移っているなあ、と思いましたね。

宮崎 あれ？ 全然おぼえていないや。

半藤 確かにどこかにあったはずですよ。

宮崎 ぼくはもう剽窃《ひょうせつ》するのは上手な人間ですから（笑）。

半藤 おなじということじゃないんですよ。たしか似たような場面があった。もしかしたら、小説ではないかもしれない。堀辰雄の許嫁《いいなずけ》で、結核で亡くなった矢野綾子さん。綾子さんに関する話みたいなものの中だったかもね。

宮崎　そういうものがあるんですか。不勉強でそれは知りませんでした。

半藤　それからもう一つ、これは小説『菜穂子』に出てくる場面。映画の菜穂子がサナトリウムから飛び出してくる。

宮崎　あ、それは小説を意識しました。小説では大雪のなか東京に行くのですが。

半藤　はい、まさに菜穂子の強さをみせたところ。映画のタイトルは『風立ちぬ』だけど、堀辰雄の作品のいろんなエッセンスが入っているんだなあ、と。

堀辰雄さんにまつわる思い出が私にはもう一つありまして、ごぞんじのとおり堀さんが亡くなったのが、昭和二十八年（一九五三）の五月。これは私が神西清さんに、堀作品を読むよう奨められるしばらく前のことです。生前に会ったことはないのですが、私が文藝春秋に入社してその二カ月後に亡くなったので、このときのことはまことに印象深いんです。ご自宅の信濃追分で葬儀がおこなわれましたが、月がかわって六月に、東京で大葬儀をやったんですよ。新入社員の私は、「おまえ行ってこい」っていわれて葬式の受付をやりました。私の記憶だと、たしか芝の増上寺だったと思います。

宮崎 室生犀星が弔辞を読んでいますね。

半藤 そうでしたか。ずっと受付をやっていましたから、なかのことは全然知りません。そうそう、大御所の亀井勝一郎がやって来て芳名帳に署名したのですが、もの凄い達筆なんです。私にはこれがまったく読めなくて、おずおずと「なんとお読みするのでしょうか」とつい尋ねちゃったんです。亀井さんが怒ってねえ。「君はぼくの顔を知らんのかッ」と（笑）。そのとき、こんなにたくさんの読者が葬儀に参列するんだから、堀辰雄って偉い作家なんだなあと思いました。それで葬儀が終わってから、私たち手伝った人間が集められて、奥さんの多恵子さんから丁寧にお礼を言われましてね。堀さんがお使いになっていたものを記念品としてもらったことを記憶しているんです。そのときは得意になって、友人に見せびらかして歩いたのですが、いつのまにか失くしてしまいました。果たしてそれがなんであったのか。どうしても思い出せない（笑）。

宮崎　ああ、そうでしたか。

半藤　ですから堀辰雄がどんなに偉い作家なんだか、なんでこんなにたくさんの方が葬儀に来ているのかが、当時はまったくわかっていなかったんです。

宮崎　ぼくの家内なんかも、「あれは要するにサナトリウム文学でしょ」とかって、若干斜めに見ているようなところがありますね。あの人には「貧乏人の娘」という誉れがあるもんですから（笑）。

半藤　とにかく愛読者と称する人たちが、それは大勢やって来ました。受付の総大将みたいな先輩社員から、「愛読者を装った香典泥棒というのがいるから、おまえたち厳重に見張れ」なんて言われて、キョロキョロと会葬者たちに気を配っていましたよ。そういう記憶がありまして、堀辰雄という方はたいへんな人気作家だったんだということだけは記憶に留めることになりました。つまり私は全然、文学青年じゃなかったんです。

宮崎　ぼくも文学青年ではなくて、さきほど申し上げたとおり、堀辰雄のずいぶん遅れた読者でした。枕元に置いておいてときどき取り上げては読んだんですが、「やっぱりダメだな」と思いながら読んでいました。『菜穂子』もそうです。けど不思議なことに、そのうちに、自分の父親とどこかで混ざってきたんです。

ぼくは学生時代から堀田善衞さんが好きでした。これは堀田善衞全集の月報にあって知ったエピソードなのですが、昭和十六、七年頃、堀田さんは堀辰雄の近くに住んでいたことがあったんです。堀辰雄は昭和十五年に静養していた鎌倉から東京に戻っています。奥さんの実家のある杉並区成宗（現・成田東）です。文学を志す友人たちは足しげく堀辰雄の家を訪ねていくのですが、堀田善衞さんは「なんだい、あいつらは」と思っている。その頃、文学青年ならだれもが堀辰雄について話題にしたといいますから、その大衆的人気に反感のようなものがあったのかもしれません。でもあるとき散歩の途中でばったり堀辰雄に会い、いつとはなしに挨拶をするようになり、一度だけ下駄ばきで訪ねたことがあるのですって。そのとき堀田善衞さん、堀辰雄から「文学者になるのなら、文学を生活しなさい」と言われたそうなんです。それに衝撃をうけた、と。

半藤　へえ、そんな接点があったんですか。

宮崎　どうやらそういう触れ合いがあったようです。また、これは堀辰雄がもうだいぶ具合も悪くなっていた頃のことですが、堀辰雄は自宅に集まってきた若者たちに、「戦後の世界の希望は、ヨーロッパに生まれる民主的な社会主義国の連合だ」という話をしていたというのです。どうも記憶があいまいですが、いまのEUのような国家間の連合のことだと思います。これがあの戦時中のことです。政治的なことはまったく書かなかった作家ですが、そういうことを考えていた人なんだと知って、それがまた堀辰雄を読み返すきっかけになりました。

半藤　ほう、たしかにそれはちょっと意外ですね。

宮崎　戦時中に書いたものを見ても、戦争のせの字もないです。

半藤　ありませんね。奈良の古い寺や仏像、古い道ばかり。

宮崎　見事なぐらいないです。堀辰雄の最後の長編小説、『菜穂子』が文学賞をもらったのは……。

半藤　あれは昭和十七年（一九四二）の第一回中央公論文芸賞。戦争中のことでしたね。

宮崎　多恵子夫人は、その副賞の三千円で戦時中に生活することができたとおっしゃっています。

半藤　ああ、そうでしたか。

宮崎　当時の文壇では堀辰雄を死なせてはいけないと考えて、それであの賞をあげたのではないかとぼくは密かにニランでいるのですが（笑）。

半藤　ああ、ことによるとそうかもしれません。うん、あり得る。

宮崎　というわけでぼくの読書遍歴は、堀辰雄から芥川龍之介に行って、それで夏目漱石に辿り着いたというわけです。普通と逆なんです。

半藤　時代を遡《さかのぼ》るのですね。

宮崎　はい。のぼって行きました。そして芥川の『漱石山房の冬』を読んで、「あ

半藤　あ、芥川っていいやつだなあ」と思ったりして。

宮崎　いや、お言葉ですがね、私は『漱石山房の冬』にはちょっと文句があるんです。あれに漱石が「自分はまだ生涯に三度しか万歳を唱えたことはない」と言った、とあるんですが……。

半藤　あ、ありますね。

宮崎　「芥川さん、そこで漱石に、それはいつといつといつのことでしたか、ってなぜ聞いてくれなかったんですか」と私は言いたいんです（笑）。芥川さんが生きていれば「ちょっと残念でした、あれは」とぜひとも言いたい。

半藤　ああ、なるほど。漱石は「万歳」を言いそうにない人ですものね。

宮崎　芥川さんが聞き逃したおかげで、だから私は漱石が万歳を叫んだ出来事を一生懸命探したんですよ。調べながら自分で自分をバカじゃないかと思ったりもしたんですがね（笑）。ついに一つだけ見つけました。上田敏がヨーロッパに外遊することになって送別会が開かれて、そこで漱石は「万歳！」の音頭をとってくれ、と頼まれちゃったんです。そのときに漱石が、ちっちゃい声で「バンザイ」と言ってちょっと両手をあげたという記述を見つけたんです（笑）。

宮崎　よく見つけましたね。

半藤　残念ながらあとの二つが見つからない。

宮崎　きっと、ますますちっちゃい声でやったんでしょうね（笑）。

半藤　そういうことで、芥川さんの『漱石山房の冬』はいい作品なんですが、せっかく三回と知ったのだから、それがなんの万歳だったのかを聞いてくれりゃあよかったのにと、後世の人間としてはまことに残念。私、芥川さんはジャーナリストじゃないなあ、と思いました。

宮崎　芥川にとっても、すでに伝説だったんでしょうね（笑）。

遅れてきた軍国少年の涙

半藤　さてと、宮崎さんにとって、もういっぽうの堀越二郎のほうはどうですか？

宮崎 ぼくのなかには堀辰雄とはまったく別に、堀越二郎のことがありました。堀越さんが自分で書いた『零戦』（角川文庫）という本を読んでも、ほんとうのことを書いていないというのはすぐわかる。奥歯にものが挟まっていたり、刺があったり。ほんとうのことを言う気はない人だなと、そう思いました。ただ、堀越二郎のことを描かないと、かつてのこの国のおかしさは出てこない。そう考えたんです。けっきょく堀越二郎という人の正体はつかめませんでした。まあ、つかむ必要もないとも思った。ですから、出身地がわかっても調べに行かない。その風景は見に行かない。もう見ない、聞かないって、あるとき決めました。

半藤 たしかに堀越さんの本を読んでも、その人物像は浮かび上がってきませんね。

宮崎 はい。いろいろ掘り出したら、恐ろしいものがいっぱい出てくるような気もするんです。でも堀越さん、そのいっぽうで自分のために死んだテストパイロットのことだけは、真情あふれる文章で、とても丁重に書いていますね。

半藤 そう、急降下テストで墜落した、横須賀航空隊の下川万兵衛大尉についてはそうとう丁寧に書いているんです。自分がつくった飛行機の、実証飛行のために亡くなった人ですからね。

宮崎 パイロットの人物像については、詳しく語ったのは下川大尉だけでした。たぶん設計技師はパイロットのことを、飛行機を操縦する人間だとしか思っていなかったでしょうから。

半藤 そうかもしれませんね。

宮崎 ええ、そうだと思います。いずれにしても、堀越二郎の評伝をつくったってしようがないと思った。それで堀辰雄なんです。そこに親父まで混ざってきて、わけわからなくなってきて（笑）。

半藤 主人公のキャラクターをどう造形するか、監督としてはいちばん知恵を絞るところでしょうね。私、試写を見て思ったのですが、宮崎さんはもしかしたら、零戦ではなく、堀越の生きた昭和史を描こうとされたのではないかとも思ったのですが。

宮崎　そうかもしれません。ただ、紋切り型のものだけは入れたくなくて、さまざま迷走のあげくこうなった。そうとしか言いようがないんです。もとはと言えば、鈴木（敏夫）プロデューサーが、連載漫画（「妄想カムバック　風立ちぬ」二〇〇九年四月号～二〇一〇年一月号）を映画にしたらどうかと言って来て、それで始まった話でした。

半藤　ああ、模型雑誌（『月刊モデルグラフィックス』）の連載の。私も、ちらっとだけ拝見しました。

宮崎　あれは、いろいろ仕事が重なって、描くのが不可能になったので突然終わらせた連載だったんです。それを映画にしないかって突然言われて、鈴木プロデューサー、どうかしてんじゃないかと思いましたけど（笑）。
で、ぼくは「それをつくると、子どもたちは土俵の外に置かれてしまうなあ」としばらく逡巡《しゅんじゅん》していたんです。そしたら「いまわからなくても、わかるときが来るかもしれません」と言った者がいるんです。「あ、そうか。そうかもしれない」と思いました。

半藤　なるほど。その一言で、背中を押されてふんぎりがついたということですね。

宮崎　そういえば、映画の『風立ちぬ』に、菜穂子が入院する結核療養所が出てきますが、なんかこう、懐かしいような姿の療養所でした。ぼくは所沢に四十数年住んでいるのですが、あのへんを歩くとかつての結核療養所がいくつもあるんです。いまはみんな建て替えられて違う病院になっていますが。

半藤　あの辺に、昔はずいぶんと結核療養所がありましたね。

宮崎　病院の名前は変わっていますが、あそこもそうだ、ここもそうだった、と。ストレプトマイシンが広く行き渡るようになって患者がいなくなると、しばらく廃墟のようになっていた結核療養所もありました。ですからぼくは、ちょっと古い感じの病院を割り合いよく知っておりまして。これもやっぱり自分の父親とか母親の時代に重なるものですね。

堀辰雄が婚約者と一緒に療養した信州の富士見高原療養所というのが、たまたま義理の親父が建てた山小屋からすぐのところにあるんですよ。

半藤 そうですか。富士見高原サナトリウムですね。

宮崎 はい。昔の病棟が一棟だけ残っていて、取り壊すという噂を耳にしたものですから、行ってみました。裏側から入ってドアを押したら開いちゃったんです。するとなんとそこは霊安室。あわてて逃げ出してきました（笑）。

半藤 映画の中で療養中の患者たちが、ベランダに並べられた簡易ベッドに身を横たえて寝ている場面がでてきましたね。

宮崎 夏に、あのようにやっている写真はあるのですが、じつは冬にもやったのかどうかはわからないんです。調べようがないから、「いいや、これで」と描きました。

半藤 私は冬でもやっぱりやっていたと思いますねえ。

宮崎 スイスでは、やっているんです。氷柱《つらら》が落ちるような戸外でコーヒーを飲んでいる写真がありましたから。ですから映画に描いたように毛布をかぶって、冷たい外気を避けながら、ああして陽に当たっていたのではないか、と。

半藤 つまりあの頃は、サナトリウムでの療養といっても、日向ぼっこなどをしているしか方法がなかったんです。なにしろ死病ですから。

宮崎　はい。空気のいいところで滋養をとって安静にしているしか、ほかになかった。

半藤　昔の療養、治療というのはね。

宮崎　高原の病院を下りるとすぐに病気がぶり返したりしたらしいです。ですから映画で菜穂子が退院して堀越のもとに向かったときは、もう死を覚悟して出てきている。たぶん二郎もわかっていて覚悟を決めている。と、ぼくもそれはわかっているのですが、「でもやっぱり二郎さん、病院に連れ帰ったほうがいいんじゃないかなあ」などと思い迷ったりしてしまいました（笑）。こういうふうにグラグラしているのは男のほうで、ほんと情けない。病院に戻すように話を持っていきかけては、スタッフから、とくに女性たちに怒られそうだから、やっぱりそれはなしにしよう、と諦めました（笑）。

半藤　監督は今度はじめてご自分の映画を見て涙ぐまれたという噂を耳にしました。ほんとうですか。

宮崎　ほんとに情けないですが、ほんとうです。ぼくは遅れてきた軍国少年でしたから、そういう心情に触れるところがあったんですね。

半藤　いわゆるラブロマンスのほうではなくて？

宮崎　ええ。べつにそういう特定の場面を見て泣いたわけではないんです。ほんとにバカげていますが、なんだか涙が出てくるんです。映画で堀越二郎と同僚の技師の本庄季郎が、ドイツのユンカースの工場に視察に行きますね。実際、堀越はドイツだけではなくて、フランスもイギリスもアメリカにもまわっておりまして、なかではイギリスがいちばん気に入ったらしい。堀越さん、ドイツは好きじゃなかったみたいですね。あ、実際に行ったのは堀越だけで、本庄季郎は行っていません。

半藤　はあ、そうでしたか。

宮崎　ユンカース工場の場面は、堀越の何年か後に行った人の記録が残っていて、それを読むと、日本から来た技術者はほんとうにひどい扱いをされたことがわかります。まずもって工場の中は見せてくれない。用意した別の部屋に連れていって、関係する数字が書かれた書類をもってきて、そこで勉強しろと渡すだけ。それが技術提携だというのです。お金を払ってプロペラの技術を買いにきたのに、そんな扱いだったんです。それが日独伊三国同盟（昭和十五年締結）後の戦時中の話ですからね。ユンカースはつまり技術を隠した。その記録には、「ソ連軍が来てデッサウの工場を占領したときに、宝の山に踏み込んだような気になったことだろう」というようなことが書かれていました。ですからユンカース工場視察の場面では、そんなことも思い出されまして、ついつい涙腺が……。

半藤　堀越さんがドイツに行ったのは何年でしたか。

宮崎　昭和四年（一九二九）から五年にかけてです。かなり長期の視察旅行でした。

半藤　ということは、堀越がドイツに渡ったのはまだ日本とドイツとが親密じゃない時代ですね。

宮崎　ええ、まったく。その頃ドイツは中国を支援して武器を売ったり、顧問団を送ったりしています。日本とドイツは相争う関係でした。その後、第二次世界大戦で一緒に米英相手に戦争をしたのでドイツ人は親日的だろうと思っている日本人が多いのですが、それは違いますね。

半藤 ドイツ人は親日的じゃないです。むしろドイツは黄禍論《おうかろん》の本場で、日清戦争でも三国干渉を主導したり、日露戦争でもロシアの味方、第一次大戦では敵国同士でした。

宮崎 むしろ日本嫌いかも知れません。

半藤 昭和八年（一九三三）三月に日本が国際連盟を脱退して、ドイツが十月に脱退。そのあとですよ、急にドイツが日本に手を伸ばしてきたのは。一九二五年、二六年に出版されたヒトラーの『マインカンプ（我が闘争）』のなかでは日本はくそみそに書かれていましたから。

宮崎 そうです。イエロー・ペリル、黄禍論ですからね。

半藤 黄色人種、この場合は主に中国・日本ですが、そいつらが白人・西洋に禍をもたらすというわけですね。

宮崎 じつは、いまのドイツ人もさほど親日的ではないのではないかとぼくは思っているんです。ジブリにはドイツ人でイタリア国籍を持っている女性スタッフがおりまして。もとはドイツだったけれど、第一次大戦でイタリア領になった地方に生まれ育ったのでドイツ語がよくわかる。ドイツの国籍ももっています。ぼく、彼女に「ドイツ人は日本人に好感を持っていないだろう?」って聞きましたら、「よくご存じですね」ってニッコリ笑いました。

半藤　なのに日本人は妙にドイツ人に親近感を持ったんですね。

宮崎　不思議ですね。

半藤　不思議です。私の少年時代には、ヒトラー・ユーゲントが日本にきていますから、ナチス・ドイツに憧れて真似をする同級生なんかもいましたね。ドイツの飛行機や戦車に憧れて、ドイツの飛行機や戦車の絵ばっかり描いているやつもいました。

宮崎　いまでもいます(笑)。少ないですけど。

半藤　子どもむけの雑誌『少年倶楽部』などにはドイツのかっこいい近代兵器や飛行機や戦車の写真がバンバン掲載されていて、これには正直言って憧れました。強そうでかっこよかった。それにしてもなぜ日本人は、とりわけ海軍軍人がドイツにあんなに入れ込んだのか。

宮崎 ほんとに不思議です。

半藤 なので私、「日本海軍はなぜ親独になったのですか？」とずいぶん関係者に聞いたんです。するとみなさん「どちらもほぼ単一民族だし、規律正しいし、後進国家であったし」などとってつけたようなことばかり言う。ところがあるとき某海軍士官がポロッと漏らしたんです。「ハニー・トラップだよ」と。つまりドイツに留学をしたり、駐在していた海軍士官に、ナチスは女性を当てがったと言うんです。

宮崎 あ、そうだったんですか。「ハニー・トラップ」。凄い言葉ですね。

半藤 それを聞いてから、ドイツ留学やドイツ駐在をした人に次から次へと尋ねたところ、半分以上は否定しましたけれど、三分の一くらいは認めましたね。どうやらアメリカとイギリスではそういうことはなかったようですがね。親米英か親独か。あるときからなだれを打って親独になった裏には、そんな情けない事情もあったんです。

宮崎 なるほどねえ。

半藤 それにしても、映画のなかの、ユンカース社のドイツ人はうまく描かれていましたね。カッカッカッと詰め寄ってきて「おまえたちは入っちゃいかんッ」なんて。

宮崎 まあ、ちょっとやりすぎたかなとも思ったんですけど（笑）。でもまあ、あいうことだったのではないでしょうか。

半藤 あれはよくできています。規律正しいいかにもドイツです。

宮崎 あのときユンカース社の大型飛行機なんて買う必要はなかったですね。あれは意味のない公共投資と同じでした。

ふたりの設計技師、二郎と本庄

宮崎 ライセンスを買ってきて、それで六機もつくったんです。それが昭和十五年

（一九四〇）の帝都上空に姿を現すんです。ものすごく遅い飛行機ですから、五〇〇メートルぐらいの高度で三機並ぶと、ゴォーゴォーといいながらその空にまるでジーッとしているように見えたそうです。

半藤 ほう、そんなことがあったのですか。

宮崎 そのときは「すごい！」っていう話になったのですが、その後あちこちの陳列室に置かれてすぐにがらくたになりました。なにしろ最高スピードが二〇〇キロ以上出ないんです。あんなもの買う必要などまったくなかった。小さい飛行機を買って、それで技術を学ぶことは充分できたはずなんです。ただ、部品番号の整理の仕方なんかは、ユンカースの飛行機を調べてものすごく役立ったと本庄季郎は書いていますね。そこはやっぱり技術者の目だなあと思いました。

半藤 ユンカース社は、爆撃機はつくらなかったんですか。

宮崎 つくりました。でもフーゴー・ユンカース博士はナチスと対立して、ナチスに追われて幽閉同然の目にあって死んでしまいます。ユンカース社はその後、国策会社になっちゃうんですね。そして爆撃機が数多くつくられたのですが、輸送機や偵察機もつくっています。デッサウの工場は、けっこう自由な雰囲気があったという話ですけれど。

半藤 イギリス本土爆撃をやったのは、たしかユンカース社製の飛行機でしたよね?

宮崎 そうですね。ユンカース博士に関係ないユンカース社製の飛行機。いまドイツでは、ユンカース博士に対する再評価がもちあがっていると聞きました。つまり、博士は戦争犯罪人なんかではない、という話が。でもじつはユンカース社は、ナチス・ドイツの敵国であるソ連にものすごくたくさんの飛行機を売っているんです。ソ連空軍はもうユンカースだらけになっていたそうでして。

半藤 そうすると中国大陸で日本の九六式陸上攻撃機をやっつけたのも、もしかしたらユンカース社製ですかね。ソ連のポリカルポフI-16とか。

宮崎 あれはユンカース社製ではありません。ソ連が独自に開発した戦闘機です。

アメリカのカーチス・ホークやF4Fとかがずいぶん中国に行っていますね。

半藤 九六陸攻はほんとによく落とされたそうです。

ずいぶん落とされました。これじゃいかん、ということで海軍は焦りだします。それが零戦設計へとつながっていく。

宮崎 九六式陸攻のつぎにつくった一式陸攻はもっともろかった。四発機でないと無理な航続距離性能を、「四発機じゃ駄目だ」と軍部から言われてしまった。それは軍の命令でどうしようもないんです。しようがない、やっちゃおうというので、主翼そのものをタンクにしてたくさんの燃料を積めるようにした。けっきょくガソリンがそのまま飛んでいるような飛行機をつくってしまったわけですね。

半藤 翼《つばさ》は防御のないガソリン・タンクでしたものね。

宮崎 インテグラルタンクというガソリン・タンクです。本庄季郎はもうしようがなくつくったそうです。

半藤 私は堀越さんには会っていないのですが、本庄さんには会っているんです。

宮崎　そうでしたか。本庄さんは明るい人だったのではないですか？

半藤　明るくて、そしてすごく紳士でしたよ。

宮崎　きっとそうだと思います。

半藤　あんまり技術者的じゃなくて、どちらかというと穏やかな、大学の先生みたいな印象でした。たしか一式陸攻のことを聞きに行ったのかな。それで原稿をもらったおぼえがあります。

宮崎　全然傾向が違いますけれども、堀越二郎と本庄季郎という人は二人とも日本を代表する飛行機設計家だったと思います。ものすごく合理的なのが本庄さんで、堀越さんはなんかとらえどころがなくて、そしてカリスマ性がありますね。

半藤　堀越さんは山師ですよね、ある種の（笑）。そういうことを言っちゃいけないか。本庄季郎さんはまともな常識人じゃないかという気がした。

宮崎　ええ、そうです。堀越さんは不思議なオーラを持っている人ですね。

半藤　「カリスマ性とオーラがある人」というと、目の前にいる宮崎監督がそうですね。

宮崎　いやいや、ぼくは全然違いますよ、ほんとに。それはともかく、この映画は堀越二郎びいきでつくったわけではないんです。あの時代を代表する二人は、自分にとって堀越二郎と堀辰雄だったんです。前回も縷々《るる》申し上げましたが、零戦だってぼくは描きたくないと思っていました。「こんなややこしいもの描けない」って、ずっと思っていましたし、試写を見ても、やっぱりへたくそだなあって思いました。ぼくらがやっている精度では零戦は描けないんです。小さく描いたものが、映写画面でこんなでかくなりますから。

半藤　実際はどのぐらいの大きさで描いているんですか。

宮崎　フレームってぼくらが呼んでいる画面というのは、横三〇センチ、縦が一八センチぐらいの大きさです。

半藤　そんなもんですか。

宮崎　それ以上大きくなると、手間がもの凄くたくさんかかってしまうんです。部分的に大きく描いてはめ込むことは、いまの技術なら可能なのですが、それもやっぱり手間の問題になりますね。丘の上で菜穂子が絵を描いているシーンがありますけど、あれはふつうに描くと人物が粗くなってしまうので、その部分だけ一六〇％に拡大して、菜穂子だけを大きく描いて、縮小してはめ込んで精密にするというようなことをやっています。担当のアニメーターが、老眼でこれ以上こまかく描けないから、大きく描かせろというんで（笑）。そんなこと全編にわたってやっていたら映画づくりが終わらないです。

半藤 なるほど、それはたいへんだ。

宮崎 昔はコピーしてセルにするときに、絵が滲んでモヤモヤしてしまうんですが、モヤモヤしてしまうおかげで、そこにあるけど見えないだけ、というような空気をつくりだせました。いまデジタルでやると、滲みなく線がもうピシッとはっきりでてしまう。点だけ打っていくと、それはただ点だけにしか見えないのですよ。ですから群衆を描くとき、ほんとにひとりずつしっかり描いていないとバレちゃうんです。

半藤 私たちが観ているのはデカい画面ですが、実際はちっちゃいのか。

宮崎　ええ、つまり大きく描いたからといって細かな表現が生まれるわけじゃないんです。むしろ大きく描くと描く人間の注意力も薄くなります。人間は自分の見える範囲で描いていますから、小さく描いても大きく描いてもだいたい絵としての密度はおなじということになります。風景を大きな画面でウワァーッと一生懸命描いたところで、スクリーンに映してみたら、べつに大きく描くことなかったんじゃないかって、きっと感じるでしょうね。

半藤　ほう、そういうものなのですか。

宮崎　何度も失敗しながら覚えました。ただ線だけはいまの技術でデジタル化すると、にじみを掃除してしまうものですから、全然ぼやけないできれいに表示されます。すると、丸見えになってしまったようで、はっきりわかりすぎてちょっとガッカリしたりするんです。

半藤　それにしても今度の映画はすごくきれい。

宮崎　きれいすぎますね。もう少しぼやけてくれた方がいいと保守的な自分は思うんですが（笑）。

半藤　ものすごくきれいな映像だと思いました。あれはよっぽど細密に描かれているのだろうと。

宮崎　細密に描いたわけでは決してないんです。たとえばあの雲は、セルという昔の透明な板に絵の具で描いて重ねていくようにしました。そうしないとどうしても空気の感じが出ない。様子を見ながら雲を描くという、先祖返りの技法をつかいました。そのセルもだんだんなくなりつつあります。たいへんな手間でしたけど、空が大きな意味をもつ映画ですから、雲の場面は頑張らないと作品が台なしになると思いまして。でも、うまくいっているところと、そうじゃないところとがありますね。

少年時代の堀越二郎の夢に出て来る草原は、空想の世界の草原です。でも、終わりの草原は現実で、「あれはノモンハンのホロンバイル草原だよ」ってスタッフに言っていたのですけれども。

半藤　ああ、なるほど。あの草原は昭和十四年の夏のノモンハン事変のさいに、ソ連と戦った日本陸軍の戦場でしたか。

宮崎　ぼくは行ったことがありませんし、だいたい今の人はだれもそんな地名さえ知りませんね。ぼくの想像で描いたホロンバイルですが。

半藤　あそこの草原はちょっと起伏があるんです。

宮崎　はい。そしてその起伏は穏やかなんです。そういう草原は、ぼくの知っているかぎりホロンバイルしかなかった。

半藤　映画の最後に零戦が十何機もダアーッと出ますね。一瞬というか、ほんのわずかな間だけれど、ではあれも小さく描かれているのですか。

宮崎　サイズは、ほかの原画と同じです。でもぼくは描きたくなかったんです。くどいですね（笑）。作画を担当した人間が所沢航空発祥記念館に展示されている零戦を見に行ったのですけど、無駄な努力でした。しかし、まあ、最後は描くしかなかった。

半藤　ラストのあのシーンがないとね。

宮崎　戦争映画ではぜったい使わないアングルで描きたかったので、ああいうふうに十何機もダアーッといっぺんに飛ばしてみたわけですけど。じっさいはあんなに密集して飛ぶはずはないんです。

宮崎 まあ、せいぜい三機単位の小隊が三小隊ぐらいでしか飛ばないでしょうね。

半藤 しかもパイロットは編隊長を見て飛んでいますから、あんなふうにこっちを向いて手なんか上げられるはずもないんです。そんなことしたらすぐ落ちてしまう（笑）。最後のシーンでは、零戦の機体を緑の迷彩色にしたら、それは敗戦の象徴になってしまうと思ったんです。ですから最初の頃の色、灰白色にしました。ほんとうはカウリング（エンジンを覆うカバー）まで白くしたかったんですけど、それはいくらなんでも捏造のしすぎだなと思いましてエンジンのところは黒くしました。

宮崎 五二型ですか。

半藤 いや、違います。二一型です。最初のものからちょっと改良された栄型の中島飛行機のエンジンになったものです。そんな違いは、よほどのマニアでないとわからないでしょうけれど。

宮崎 零戦を描く難しさというのは、わかりやすく言うとどういう難しさなんですか。

宮崎　たとえば胴体がスーッと直線的になっているかと思うと違うんです。やっぱり放物線になっていて、最後はスーッと収束している。

半藤　胴体も放物線なんですか。

宮崎　はい。それをスーッと描いちゃうと違うんですよね。こんなややこしい飛行機はないです。

半藤　じゃ上も下もいくらか放物線を描いているんですか。

宮崎　ええ。ほんとに緩い放物線ですけど、スーッとひとつながりの感じなんです。しかもひとつの筋じゃないですね。

半藤　私だったらスーッ、スーッと描いちゃいますけどね。

宮崎　本庄季郎もスーッスーッて描いちゃう。「こんなのどこもおなじ」って言って描いちゃうんでしょうけれど、堀越二郎はそれを許せない人なんですね、あの人は。

半藤　私はわからないけれども、世の中にいるんですよ。ほんとうに詳しいマニアがね。前回お話した『太平洋戦争　日本航空戦記』、私が昭和四十五年（一九七〇）につくった本を、今日はこうして持って参りました（笑）。抗議が殺到した零戦の絵。どうです？　連中が言ったように、やっぱり五二型ですか、これ？

宮崎　（本を手に取って）あ、これは違いますね。……五二型でもないです。この風防はアメリカ軍機のカーブです。

半藤　なんと！　ほんとうですか。

宮崎　ぼくも図面とか写真を見ているだけで、本物を一回も見てない人間なので偉そうなことは言えませんが。じつは堀越さんが、靖国神社の遊就館に置いてある零戦の前で、こっちを向いてにっこり笑っている写真があるんです。そのときに風防を前から初めて写真で見たんですけれど、もう度肝を抜かれましたね。これはすごい風防だと。

半藤　遊就館にあるのは五二型ですよね。

宮崎　はい。この絵の風防のかたちは、それとはまったく違います。描かれたのが昭和四十五年ということですから、当時はまだ、情報が少なかったのでしょう。この絵描きさんは苦労なさったと思います。

ジブリのスタッフに見覚えのある飛行機を描いてもらうと、みんな一生懸命描くんですけど、たいがいアメリカ機かソ連機です。ちょっとした線の違いでどちらかに変わる。ドン臭く描くとソ連機（笑）。スマートに描くとアメリカ機になるんです。そういう線の違いなんですね。

半藤　それにつけても、零戦はある意味、悲劇の名機なんだと思うんですね。太平洋戦争の後半は、熟練したパイロットがいなくなったこともあり、すっかり時代遅れの戦闘機となって、しまいには特攻兵器。ボロボロの戦いを強いられました。

美しい飛行機と軍部のノイズ

宮崎　いざ戦争となってしまえば、いくらかたちが美しくてもそんなことはどうでもいい、という話になってしまう。それはもう、たちまちです。もう飛べばいいんだ、と。嘘かほんとうか、ドイツ人に日本人が、「なんでこんなにみっともなく飛行機をつくるんだ」と聞いたら、「百姓が乗るものだからこれでいいんだ」と答えたという笑い話があります。アメリカにもその種の話がありまして、「カウボーイが乗るのに、なんできれいにしなきゃいけないの？」とかね。でもやっぱり日本人は飛行機をきれいなかたちにしたかったんですね。

半藤 これは坂口安吾が『日本文化私観』という、戦争中に書いたものに出てくる話ですが、安吾さん、日本軍が分捕った飛行機を羽田飛行場に見に行っているんです。ソ連製のI-16戦闘機です。

宮崎 そうでした。そのとき羽田では実際に飛ばして、その様子を安吾は見ているんですね。ものすごく速かった、日本の戦闘機より速かったと書いています。あれは中国から分捕ったものかな。その点ははっきり書かれていませんでしたけど。

半藤　それを見に行った安吾の感想としては、日本の飛行機は要するに美的に繊細につくりすぎると。

宮崎　そうでした、そうでした。でもアブと仇名されたずんぐりした機体なので、速く見えただけかもしれませんね。

半藤　要するにこういうもの（飛行機）は、機能的で強ければいいんだから、ソ連のように、見てくれは悪いけれどもほんとに機能的で頑丈なほうがいい、と言うのですがね。

宮崎　それは卓見です。

半藤　卓見ですかねえ。私はこの文章を読んで、「安吾のバカ」って思いましたよ（笑）。「機能的で丈夫なら見てくれは悪くてもいい」なんて、そんな身も蓋もないことを言ってほしくないよ、と。

宮崎　実際、ソ連のI-16は、ノモンハンで日本の陸軍機と大空中戦をやってます。I-16というのは、世界で初めての引き込み脚の飛行機なんですが、その飛行機を日本が分捕ったときに調べたら、なんとベニヤでつくられていることがわかったんです。木製モノコックです。それはソ連にとっては非常に有効な方法だった。要するに、何年ももつ必要ない、どうせすぐ壊れるのだからつくりは雑でかまわない。で、世界でいちばん安い戦闘機をつくったんです。

半藤　この飛行機は人民戦線側の支援でスペイン内乱にも参戦しています。

宮崎　そうそう、あのときもいっぱい飛んで行っていますよね。

日本軍の関係者はI－16を見て、こんな粗雑なものに乗っているのかと驚いた。日本の戦闘機のほうがずっと高度じゃないか、というわけです。日本の戦闘機も敵に分捕られているから、すぐに真似をされるんじゃないかと心配して、ずいぶん気を揉んだそうです。

半藤　しかしそんな粗雑な戦闘機に、安吾は感服しちゃったんですよ。

宮崎　ああ、安吾はやっぱりたいした合理主義者ですね、でも、あんなふうな飛行機は日本人のパイロットにはむいてませんね。飛行機の形が美しいとパイロットの自信にもつながるという説もありますから。それで思い出した。じつは映画のなかで、「堀越二郎はフルメタルじゃなくて、木製モノコックか木金混合のモノコックをやろうとした」という話を加えたかったんですけど、よく考えたら無理だったのでこれも諦めました。というのは、日本には木工の職人がいっぱいいたわけだから、あの頃、障子と飛行機を組み合わせるという、そういう発想があってもおかしくないと考えたんです。そう思いついて無理やり話をでっち上げようかと思ったんですけど、難しくてやめました。

半藤　設計技師の頭のなかにはやっぱりフルメタルの発想しかなかったみたいです。へえ、驚いた。監督はいろんなことを考えるものなんですねえ。映画のなかで、名古屋の三菱に海軍士官がやってきて、新鋭機の開発会議での議論の場面がでてきました。具体的なセリフとかはなくってワァーッと、つまり喧々囂々な感じがノイズみたいになって流れましたね。

宮崎　彼らの言いたいことなんか描きたくなかったものですから（笑）。

半藤　これは実際の開発エピソードですが、航空参謀の源田実と柴田武雄の意見がもう真っ二つに分かれて要求性能の大論争をした。源田は格闘能力、つまり空中戦能力を優先させろといい、柴田は速度と航続距離を要求する。けっきょく海軍航空本部は仕方なく両方の言い分を取り入れて、堀越さんにこれをつくれと言い渡しています。

宮崎　まったくひどい話ですよね。空中戦性能の源田実と、速度・航続力重視の柴田。どちらを選ぶのかという、海軍として方針が出せないんですから。

半藤　源田実にも柴田武雄にも私、会っているのですよ。彼らはお互いを仇敵のように言っていましたねえ。「この国はあいつのおかげで滅んだ」と互いにそう罵っていましたよ。柴田に言わせると、あの源田のバカが海軍を引っかき回した、と。

宮崎　はい。源田実はひどい男です。

半藤　私も源田は国を誤らせた軍人の一人だと思っています。

宮崎　そうですよね。なにしろ東京大空襲をやらせたカーチス・ルメイ司令官に勲章をあげるよう運動した男ですからね。

半藤　といって柴田さんのほうも、思い込みが強すぎて。

宮崎　ですから、あの画面から、この人たちの言い分を、ぼくは聞きたくありませんでしたので。最初からこの映画に会議のシーンは出さないと決めていました。大事なことは喫茶店で決まるものだって（笑）。

半藤 それで全部ノイズにしたんですね。納得しました。

二郎の声と存在感

半藤 聞くところによると堀越二郎役の声優は、有名なアニメーションの監督なんですってね。

宮崎 はい。『エヴァンゲリヲン』という、ヒットし続けているシリーズの総監督で庵野《あんの》秀明という男です。

半藤 なんでわざわざ主役に素人を起用したんですか。

宮崎 堀越二郎の声はずいぶんいろんな候補が出まして、この人は芸達者だとか、人気があるとか、それこそたくさんの声を聞きました。ところがどれもこれも納得できなくて選びあぐねていたところ、ほとんど同時に、鈴木プロデューサーとぼくが「庵野がいい！」って気づいたんです。

半藤　はあ、知り合いだったんですか。

宮崎　庵野と出会ったのはもう三十年も前のことです。大阪から出てきたとき庵野は二十三歳で、ぼくは四十三歳。ちょうど二十歳違いです。庵野はそのままスタジオに住み込んで『風の谷のナウシカ』の作画スタッフをやることになりました。最初見たときは、宇宙人が来たと思いましたよ。とうとうこういう人間が日本に現れたか、と（笑）。近頃では、いろいろなものを背負って歩いている、ギリギリのところに生きているなっていう感じがしていたんです。

半藤　ああいうのは素人でもできるんですか。

宮崎　素人といっても監督をやっている人間ですから、演技指導とかそういうことはずいぶんやっているはずです。自分で演じられるかといったら、また別なことですけどね。ですから、はじめは半日やっただけでもクタクタになって、帰りは全然呑めないプロデューサーをつきあわせてガブガブ呑んでいたらしいんです（笑）。そういうことを繰り返して、だんだんよくなりました。試写を見たときは、もう庵野がやっているという感じはなくなっていましたね。ああ、堀越二郎が存在した、と思った（笑）。

半藤　これまでも、いわゆるプロの声優ではない人をつかっていますか？　たとえば私の声なんかも使えるんですか。

宮崎　使えますよ。むしろ、実生活で存在感ある人間のほうがいい声を出すんです。たとえ下手でも。『耳をすませば』のお父さん役で評論家の立花隆さんに出ていただいたこともあります。

半藤　ほう、そうだったんですか。あの立花さんがねえ。

宮崎　「娘の部屋に、ノックもしないで入るお父さんなどいるはずがないよ」とかってシナリオにいろいろ文句をつけていましたけど（笑）。でも、生きるのが不器用なお父さん、という役にちょうどいいと思いました。やっぱり存在感のありなしが問題ですね。

半藤　へえ、そういうもんですか。存在感ね。

宮崎　ええ。堀越二郎はよくしゃべる人間ではないですから、そうすると、やっぱり存在感が大事なんです。思い入れたっぷりに演技されるよりも、ボソッとしゃべってくれたほうがいいんですよね。それで、庵野がいい、と。ほんとによくやってくれました。

半藤　そうですか。そんなもんですか。

宮崎　庵野は嫁（漫画家の安野モヨコ）には聞かせられないとか言いつつ、ラブシーンでもちゃんと声を出してくれました（笑）。

半藤　ＮＨＫのアナウンサーに聞いたことがあるんですが、太宰治の小説は、奇妙な文章で、ＮＨＫのアナウンサーには朗読できないんだそうですよ。ところが、うまい声優にだけは朗読ができる、と。やっぱり声優っていうのはプロなんだなとそのとき思いましたが、ところが、そうでもないんでしょうか。

宮崎　プロは経験を踏んでたくさんの数をこなしていますから、数をこなしているうちに角が取れているんです。巧いんですよ。でも、そこに存在するのとはちょっと違う。庵野は存在しているんですよね。重いものを背負ってヨロヨロと歩いている人間ですから、それが声に出ていました。
ドイツ語もしゃべらなきゃいけないし、歌も歌わなきゃいけない。いろいろドキドキしたと思います。でもぼくはドキドキしませんでした。それは庵野ひとりがドキドキすりゃいいやっていう（笑）。そして、ちゃんとやってくれました。ぼくはほんとうに運がよかったと思いました。

ハッタリ屋のカプローニ伯爵のこと

半藤　堀越二郎の夢にでてくるカプローニという人は実在の人物なんですね。手元の資料によれば、一九〇八年に創業したイタリアの航空機製造会社、カプローニ社の創設者にして伯爵なんですね。その名はジョヴァンニ・バッチスタ・ジャンニ・カプローニ。

宮崎　カプローニを登場させたのには、じつは面白いきっかけがあったんです。創業者の曾孫にあたる人が私達の映画の『紅の豚』を観て、「おまえ、もし要るならこれをあげる」って、一九三六年のカプローニ社の社史を送ってきてくれたんです。図面だらけなんですが、これがとても面白かった。翼が九枚もあってエンジンが八つ付いているっていう、ハッタリの固まりみたいな飛行艇、カプローニCa.60の図面も、さらにそれをつくる過程も、写真とか絵がいろいろ載っていたんです。

半藤 その飛行艇、今度の映画に登場していますね。あの飛行艇のことが社史に載っていたのですね。

宮崎 はい。あの飛行艇をつくっている最中のカプローニの写真も載っていました。カプローニさん、ものすごくげっそりした顔で写っているんです。全然意気軒昂じゃないんです。「これ、ダメ」って顔に書いてある（笑）。つまりダメだってわかっていてつくったんだと思いました。イタリアは当時、民間航空が発達しなかったですから。

半藤 たしかにイタリアは少々遅れていましたね。

宮崎 要するに需要がなかったんです。ですからカプローニ社は第一次大戦後、生き残っていくためにハッタリが必要だった。それであれをつくったのだろうと思うんです。「これで大西洋を越える！」なんていう嘘八百を並べてね。あんなもんで大西洋を越えられるはずがないんですよ。

半藤　しかも「百人の乗客を乗せて越えてみせる！」と言ったのではなかったですか。

宮崎　そうです。実際は飛んでいません。だけど飛んだって言い張るんですよ、カプローニ社は。

半藤　大西洋どころではなく、空中に飛ぶことさえなかったのですか、あれ。

宮崎　一九二一年のテスト飛行の映像が残っています。このとき一回目で浮くのに成功して、二回目の滑走で水面をちょっと離れて九〇メートルぐらい飛んだって言い張っています。そのときいっぱい映像を撮っているというのに、肝心の飛行中の写真が一枚もない。そして二回目の滑走で壊れているんです。壊れた機体が水面に浮いている写真はあるのですが、その途中、飛んでいるところを映したフィルムがない。滑水中の写真もない。これはもう、カプローニおじさんが「撮るなッ」と命令したに決まっているんです（笑）。

宮崎 あ、カメラをまわすのをやめさせているわけですね。

半藤 証拠もなにもないので、しようがないからいまでは飛んだことになってしまいました（笑）。

宮崎 ユンカースさんの人生はわかるんですが、カプローニさんのほうもわかっているんですか。

半藤 戦後も生き延びて、地場産業として一時オートバイをつくっていました。

宮崎 爵位をもらっているのですね。

半藤 あの人は初めから伯爵なんです。伯爵家の生まれで、たぶん子どもはいなかったんじゃないか、養子を取ったのではないかと思います。映画では子だくさんにしちゃいましたけどね。

宮崎 じつは私、かねて不思議に思っていたんです。なぜイタリア人がこんなすごい飛行機を考えたのかと。あれ、かなりバカげた姿ですよね。

半藤 そのバカをちゃんとやってくれたおかげで、航空史というのは面白いんですね。いまでは、あの構造では空を飛べないということが簡単にわかるんです。じつはぼくは、そのカプローニCa・60のラジコン模型をつくってもらったんです。つくってくれたのは大橋秀雄さんという、模型飛行機界では有名な方です。図面を見せたら、つくっても飛ばないだろうと言う。

一列目の三枚の翼が空気を吹き下ろすから、二列目の翼はただ空気抵抗を生むだけで揚力を生まない。三列目はちょっと浮くかもしれないけれど、ほとんど空気抵抗。ですから滑走を始めたら前の翼だけが持ち上がろうとして折れてしまう。それでドスンとすぐ壊れただろう、と。そこまでわかってしまうのですか、という感じでした（笑）。

半藤　三列の翼ですけど、真ん中は全然浮揚力がないわけですか。

宮崎　なんの意味もないそうです。実機をつくる前に小さな模型をつくって飛ばしてみりゃわかるのに、と思うんですがね。

半藤　でも宮崎監督はそれをつくって飛ばしてみたわけですよね。

宮崎　ええ、大橋さんにつくってくださいと頼み込みまして。「あれは飛びません」

と言われながら、「でもひょっとしたら飛ぶかもしれないから」って（笑）。で、ほんとに苦労して、初めはやっぱり失敗したのですが、今は電動のいいモーターがあるので、ついに二〇一二年の四月一日の、二回目の飛行実験で、なんとか飛びました。場所は利根川の河原でした。

半藤　いやはや、すごい！

宮崎　まあ、ぼくの実験はともかく、カプローニ社というのはさすがだと思ったのは、飛行機の絵はがきをつくっていたんです。フィルムのコマを引き伸ばしてつくっているのですが、ものすごく大きく立派に見えるんですよ。

半藤　ほう、あの時代に宣伝も頑張ったんですね。

宮崎　思うにジャンニ・カプローニという人はルネッサンスの人ですね。なんて面白い人だろうと感心するんです。レオナルド・ダ・ヴィンチもいろいろ考えましたが、つくらなかったものと、つくってもダメだったもののほうが多いんですから。

半藤　カプローニさん、ちゃんと飛んだ飛行機も、もちろんつくっているのでしょう？

宮崎　はい。ユンカースの飛行機より幅が一メートルだけ大きいのですが、その飛行機で世界一になっています。発表によればユンカースの巨大機が時速二〇〇キロで、カプローニ機は時速二〇一キロ。これも少々怪しいですが（笑）。

半藤　ハッハッハ。

宮崎　それでも世界記録はいっぱいつくっています。重いものを積んで飛び上がったとか、高度を稼いだとかいう世界記録を八つぐらいつくっていますね。そういうことは、ちゃんと実現しているんです。

半藤　世界航空史のなかでは、やっぱりなくてはならない人だったんですね。

宮崎　そうですね。ぼくは大好きです。カプローニCa.60みたいな巨大な物体の構成力は日本人にはないですよ。これはハッタリでも凄い。

半藤　ライト兄弟から何年後ぐらいですか。

宮崎　ライト兄弟がはじめて飛行に成功したのは一九〇三年ですが、ヨーロッパで実演飛行したのは一九〇八年ですから、ほんとうに飛行機は飛ぶのだということを見せるまで、五年ほど時間がかかっているんです。

半藤　そうか、堀越二郎はライト兄弟がはじめて飛んだときに生まれたのか。

宮崎　あ、そうですね。つまりこのとき文明の歯車は凄い勢いで回転をはじめた。飛ぶとわかったら、もうどんどん飛んじゃうんです。カプローニさんは一九一〇年にカプローニCa・1という双発の複葉機をつくって飛行に成功するのですが、そのあと突然三発の爆撃機をつくるんです。このときまだ二十代でした。それがイタリア軍機として第一次世界大戦でオーストリア＝ハンガリー帝国を爆撃する飛行機になるんです。

ロシアのイゴーリ・シコルスキーという男は二十歳代で、世界で最初の四発機をつくった。大型機でした。シコルスキーがつくった四発の爆撃機は、第一次大戦で東部戦線を飛んでいます。シコルスキーはその後アメリカへ亡命して、世界ではじめてヘリコプターの実用化に成功しています。この人も天才ですね。そういう人たちがつぎつぎと登場したんです。

半藤　映画でカプローニさんは、堀越二郎の夢のなかに登場しましたが、あれは宮崎さんの夢でもあったんですね。

宮崎　ルネッサンス人だとわかったら、ぼくカプローニっていうおじさんがだんだん好きになってきたんです。映画では、「これは美しい夢なんだ」と言い、そのあとで「呪われた夢だ」って言ってもらいました。

半藤　写真はあんな顔でしたか。

宮崎　髭は途中でなくなるんですよ。最初はすごくエキセントリックな怖い顔をして写っていますね。笑っている写真は一枚も残っていない。いつも渋い顔をしています。イタリアの貴族は笑わないんじゃないでしょうか。

半藤　ドイツの貴族も笑わないんじゃないですか。どうでしょう。

宮崎　貴族はどうかわかりませんが、ドイツ人のパイロットたちの写真を見ると、彼らはたいがい笑っている。だけどなぜかイタリア人のパイロットたちは渋い顔をしています。これは不思議ですね。

半藤　なぜでしょうね。

宮崎　もしかしたらイタリア人のほうが大人なんじゃないでしょうか。

半藤　ああ、なるほど。どちらかといえば、ドイツ人のほうが子どもっぽいかもしれないですねえ。

宮崎　知っている範囲はほんとに狭いので、そんなことを語る資格はぼくにはありませんけどね。あ、そうだ。思い出した。ベルリン国際映画祭に行ったときに、ちょっとびっくりしたことがあるんです。ぼくらにインタビューに来たドイツの漫画雑誌の編集者とかアニメーション関係の連中というのは、ピアスを鼻とか口とかにつけていたり髪の毛をおっ立てていたりして、来るヤツ来るヤツほぼ全員が、ドロップアウトしたようなスタイルの連中でした。映画祭に来るのは概ねへんなやつらです。真っ当な連中は別なところにいる(笑)。ですから日本のアニメーションが外国に受け入れられているなんていっても、こんなもので浮かれていたら絶対間違いです。まして経産省あたりが日本の輸出産業としてアニメーションをどうこうするとかって言っていますが、ぼくははっきり言ってそんなのバカだと思っています。

半藤　へえ、そうですか。アニメーション関係のドイツの若者は……。

宮崎　誤解があるといけないので言っておきますが、日本に来ている外国のアニメ好きの若者たちは優秀な人が少なくありません。さっき話したドイツとの二重国籍を持っているイタリア娘は、日本のアニメーションの『ベルサイユのばら』かなんかを見て、日本語を勉強してから来たんです。ほかにも、突然ルーマニアの娘もやって来ました。こっちは『キャプテン翼』というアニメーションを見て日本語を勉強し、日本語でアニメーションを見たくてこちらに来たとか。かれらは独学で日本語を喋れるようになったんです。凄いですね。

つい最近、中国の青年もやってきました。これがちょっと面白い話なんです。ある日突然スタジオのとびらの前に立っていて、聞けば「アニメーションの美術を筆で描きたいのですが、中国ではもう筆で描く仕事がないんです」と言う。

半藤　ああ、もう中国もコンピュータなんですね。

宮崎　それで絵を見てほしいと言われて、しようがないから見たんです。もう本番に入っていたタイミングだったし、いまスタッフはいっぱいだし養成している暇もない。ちょっと困っちゃったんですけどね。それで美術の責任者に紹介して、「モノになると思ったら養成してもいいけど、判断は任せます」って言って委ねたんです。それで美術の部門では絵を見ていろいろ話もしたけれど、けっきょく「いまは要らないから」と断ったらしい。するとしばらくしてその中国人青年から礼状が来たんです。それがまあ、じつに立派な日本語なんですよ。

半藤　はあ。そうですか。わけのわからない文章を書いて寄こす日本人がたまにいますがね。

宮崎　日本的な漢字の使い方をしながら平仮名も使っていました。ジブリにだってあれより日本語の下手な日本人スタッフがいっぱいいます（笑）。ぼく、ちょっと感動しましてね、もう一回来いって言って呼んだんです。「いま本番のスタッフに入るのは無理だけど、この映画をやっているあいだ、期間限定で養成する」ということで、入れました。そして働きはじめたら、じつに前向きで。親切な男を師匠役につけて教えたら、ほんとにいっぱい努力して、筆の使い方や光の処理なんかもどんどん身につけていく。何につけ突っ込んで勉強しているので、ぼくはまたびっくりしました。師匠の似顔絵を描いたというから見たら、「あ、そっくりだ」ってみんなで感心したりして(笑)。美術のスタッフのなかですっかり人気者になって、ついにみんなから愛されちゃいましてね。約束の期間が終わって送別会のときは、泣いて別れるという騒ぎになりました。

半藤 それで中国に帰っていったんですか?

宮崎 日本にいます。まだ労働ビザを持っていないので、いま料理屋でアルバイトをしながら勉強しています。そこの料理をスタジオに差し入れにもってきてくれたりしたので、みんなで「おおッ」て喜んで食いました(笑)。

半藤 そんな風に、グローバル化は着々と進んできているのですね。なのに古臭い頭の連中は、ヤレあいつは怪しからぬ、断固膺懲《ようちよう》だなんて(笑)。

『草枕』は二十世紀最高の小説!?

宮崎　話は突然変わるんですが、前回、『こころ』を評されたときに「お嬢さん」が、「K」からも「私」からも好意を寄せられていたことに気づかないはずがないって、半藤さんおっしゃったでしょう。あのあとプロデューサー室にいる女性たちにその話をしましたら、彼女たち「気がつかないです」って言いました。

半藤　ええーっ！　それは相当自信のある人ですよ、そういう女性は。

宮崎　美人はそんなことはあたりまえのことだから気がつかないって（笑）。あの人がそうだ、この人もそうだ、と。

半藤　グフフフッ。女とはそういうもんなんです。

宮崎　こりゃあ、半藤さんにもういっぺん聞いてみなきゃいけないなと思いまして（笑）。

半藤　そうすると、並みの容色の女だけが意識するんですかね。どう？　自分に気があるっていうのは、わかるよねえ？（と、同室の女性スタッフに聞くが、みな譲り合って答えず）

宮崎　ね、なにかごまかしているでしょう？

半藤　モテるなんて、そういうことは言いたくないんだね。

宮崎　そういえば、『こころ』の「お嬢さん」が美女だったかどうかは……。

半藤　たしか書いていませんねえ。

宮崎　難しい問題ですね。いずれにしても一蹴されました、ぼくは（笑）。

半藤　やっぱり気がつかないはずないと思うなあ。まあ、それはともかく。『こころ』については、「先生の死後、大学生の私が未亡人の静と結婚するに違いないと思うのですが」と、私に言ったやつがいるんですよ。ある文芸評論家ですがね。

宮崎　いや、ちょっとそれはないでしょう。と、思います。

半藤　ねえ。だから私、「お前さんの想像力はそうとう豊かよのう」と。

宮崎　想像力豊かすぎて、ぼくはめまいがしそうです。

半藤　もとより静さんは二人の青年に思われていることがわかっていたはずだと私は言い返したのですがね。それ、呑みながらの会話ですが。

宮崎　ぼくはそういうところまで、ぜんぜん想像力が働きませんが、そういう話をしていたら、きっとずいぶん呑めちゃうのでしょうねえ。二十六本は並ばないかもしれないけど（笑）。

半藤　そう。漱石の小説はいろんな解釈が可能で、さまざま想像をめぐらすことができる。漱石の描いた山水画をごらんになったことがあるかと思いますが、山道があって、かならず川がこう、あるんです。

宮崎　ありますね。桃源郷、「白雲生ずる処」ですね（笑）。

半藤　ええ、杜牧《とぼく》の世界です。長女の筆子さんにいわせると、父漱石はコワーイ人、それだけの人になってしまうのですが、やっぱりあの方、いくらか天才なんですね。

宮崎　いくらかどころか、ぼくは大天才だと思います。

半藤　面白いことは面白いですからね。短編は別として、漱石は作家になってから死ぬまでの十一年のあいだに長編小説を十作品書いています。そして十作はすべて作風が違う。別の人が書いたみたいです。そういう作家、ほかにはいないんじゃないでしょうか。えっと、名前をど忘れしちゃった、若くして死んだカナダのピアニスト。

宮崎　グレン・グールド？

半藤　そうそう、グレン・グールド。グールドという音楽家は漱石の大ファンなんですってね。

宮崎　みたいですね。なかでも『草枕』の大ファンだそうです。

半藤　死の床の枕許には、聖書と、そしていっぱい書き込みの入った『草枕』があったといいます。そのグールドが二十世紀の最高傑作に挙げたのが、『草枕』とトーマス・マンの『魔の山』だというんです。「この二つだけ読めばいい、あとはいらない」と言っていたとか。「半藤さんも『草枕』は二十世紀最高の小説と思いますか」と新聞記者に聞かれたことがあって困っちゃった。私は何度も言っているとおり小説読みじゃないんでねえ。でも、考えてみると、最高傑作かもしれませんね。

宮崎　うーん、どうなんでしょうか。ぼくは大好きですが。

半藤　『草枕』という小説は、言葉が古くて難しいからいまの若い人たちには読めないんですよ。だから私、若い人たちに『草枕』は英語で読め、と言っています。

宮崎　どこかでそうお書きになっていましたね。ぼくはわかんないとこは平気でとばして読んでいます（笑）。

半藤　そうそう。わかんないところはとばして読めばいいんですよ。

宮崎　なにしろ『草枕』は、ほんとに情景がきれいなんです。しかもその鮮度がいまでもまったく失われていないんです。

半藤　漱石の小説で、絵巻になっているのは『草枕』だけですね。

宮崎　そうです。そのとおりです。

半藤　ということは、漱石作品のなかではあれがいちばん絵になるんじゃないかしら。

宮崎 いや、ぼくのアニメーションのレベルだとだめですね。

半藤 超短編で、こう……。たとえば峠の茶屋の場面だけ十分ぐらいの……。

宮崎 難しいです。まず、美女を描くのって、ものすごく難しいんですよ。しかも那美さん、気がふれていますよね。

半藤 モデルと称された女性が漱石を訪ねて文句を言ったら、漱石が「悪かった」って謝ったという逸話が残っていますね。

宮崎 前田卓子《つなこ》さんですね。彼女のお墓が埼玉県新座の平林寺にあるんです。漱石が前田家別邸の離れに投宿したとき、ちょうど卓子さんは結婚に破れて出戻っていて、漱石たちのお世話をしているんですね。そして卓子さんはのちに自分と母親が違う弟を養子にして面倒をみている。この弟が英才で、のちに哲学者になっています。

半藤 前田利鎌《とがま》ですね。晩年この人が、家内の父親の松岡譲と非常に親しかったんですよ。利鎌は東京の漱石宅に出入りしていましたから。

宮崎　あ、そうだったんですか。

半藤　ええ。これはほんとかどうか知りませんが、早死にした利鎌が松岡譲の枕許に出てきて、「おまえはおれの本を出すと約束したのだから、早く出版してくれ」と言ったのですって。そして松岡譲が、岩波書店に話をもちこんで、利鎌の『宗教的人間』という本を出してもらったというんですがね。

宮崎　へ〜え。そうでしたか。いずれにしても、卓子さんという女性はたいした人ですね。

半藤　男勝りといいますか、いわゆる女傑ですね。最後は「革命おばさん」と呼ばれました。妹の槌子《つちこ》が嫁いだ宮崎滔天《とうてん》の家で、献身的に孫文とその仲間の世話をしたといいます。孫文が中心となって中国革命同盟会がつくられ、面々が新宿の滔天の家に集まり、そこに卓子さんがいて彼らに飯をつくってやったりした。漱石がそれを耳にして「彼女はそんなに偉い女性なのか」と感服したというのです。

宮崎　ほんとによく面倒見たらしいですね。写真が何枚か残っているんですが、おばあちゃんになってからの写真はほんとうにいい写真です。若い頃の写真は修整が下手くそで、あまりよく撮れていません。ほんとうはもっと美人に違いないとぼくは思っているんですがね。贔屓《ひいき》の引き倒しかもしれませんけど（笑）。

半藤　くどいようですが、『草枕』はアニメにはできませんか。やっぱりだめですか。

宮崎　アニメーションというのはけっこう不便なものでして、嘘をついてもいいやと思えるものはいいのですが、嘘ついたとたんに怒濤の如くいろんな抗議が出てきそうなものは難しいです（笑）。漱石はまさにそれですね。「オレの漱石になにをするッ」と、そういう怒りをヤマほど買うことになるでしょうから。

半藤　ああ、そういう輩はたくさんいそうですね。いわゆる漱石オタク。

宮崎　いっぱいいます。零戦の五二型どころじゃないと思います（笑）。

半藤　それこそ熱心この上ない漱石ファンは、どうしてあんなにたくさんいるかと思うぐらい、いますからね。

宮崎 そうですね、ほかでもないぼく自身、そのひとりとして端っこのほうに引っ掛かっていますから。そのくせ、後半は読めないという、ほんとにだめな漱石ファンなのですが（笑）。これはある人が書いていたのですが、「『じゃじゃ馬ならし』は面白いけれど『リア王』はダメだ、などという者を、きみはシェークスピアの愛読者として認めることができるか」と。要するに、「漱石の『それから』以降を識らずして、『坊っちゃん』が好きだなどというのはそのレベルだ」というようなこと書いている人がおられましてね。それを読んだとき、「ぼくがそれです。申しわけありません」って感じでした（笑）。

半藤 ハハハ。でも、やっぱり前期のほうが面白いですよ。漱石は明治四十三年の修善寺の大患のあとは、人間の心のほうに頭が向いてしまって難しくなって、文明批評とユーモアと奇想天外な発想を捨ててしまった。いけませんなあ。

『風立ちぬ』の中の昭和史

半藤 ここでまた映画の『風立ちぬ』の話に戻りますけれども、宮崎さんは今度の作品では、かなりしっかりと昭和史を描かれたなあ、と思いました。昭和の幕開けともなった大正十二年（一九二三）九月一日の関東大震災だけではなく、昭和二年（一九二七）の東京渡辺銀行の破綻という、失言にはじまる銀行取り付け騒ぎのことも描いておられる。主人公の堀越二郎と本庄季郎の会話のなかにも、どんどん昭和史、さまざまな歴史的事件が織り交ぜられてくるんですよね。

宮崎 じつは相当ごまかしていますけど、まあ、そうです。それ抜きにして、飛行機だけに夢中になっている男の話はつくりたくなかったんです。

半藤 なるほど。

宮崎 かといって、海軍陸戦隊が上海事変で活躍しているシーンが出てくるとか、そういうふうには描きたくなかった。それを語りだすと、もうほんとにややこしいところに入っていかないといけなくなって、菜穂子さんどころじゃなくなってしまいますからね。ですから、主人公の堀越二郎は、時代の生臭さをニュースで聞いて知ってはいる。しかし、名古屋にいる一飛行機技師にとって、それは肉眼で見たものではない。彼は毎日設計事務所に行って、まじめに一生懸命仕事をしている。と、そういうふうに限定したんです。世界がいろいろ動いていてもあまり関心をもってない日本人。つまり、自分の親父です。あのミルクホールの給仕の娘がかわいいとか、今度封切りされた映画が面白いとかって言っていた人たちが生きていた世界。

半藤　当時日本人のほとんどは、そうでしたよ。それが、持たざる国、日本の昭和なんですよ。民草は食うのに一生懸命。

宮崎　まさにほとんどの人が刹那的でした。それで、そういうふうに描くしかないと思ったんです。ドキュメントをやってくださる人はいっぱいいますから、それはお任せしておいて、ぼくはやっぱり親父が生きた昭和を描かなきゃいけないと思いました。

これはぼくがまだ少年だった頃のことですが、ある一時期、戦争前の日本の姿というものを想像することができませんでした。あのバカな戦争をやったせいで起きた酷い話を、いっぱい聞いてきたせいかもしれません。町を焼かれたときにあそこの一家は全滅したとか、焼け跡の銀杏の木に貯金通帳がひっかかっていたとか、まわりにはそんな話だらけでした。日本軍は中国へ行って酷いことをやって、南方に行っても酷いことをやって、多くの日本の兵隊さんが餓死した。ニューギニアの餓死寸前だった兵士の手記も読みましたが、なんというか、つまり、ほんとうに屈辱的だったんです。

半藤 実際そのとおりでしたからね。

宮崎 ぼくの親父は戦争に負けたら負けたで、平気でアメリカ兵と友人になってそいつを家に連れてくるような男でした。そのときぼくは四歳だったんですが、アメリカ兵が家に来たとき、日の丸のついているオモチャの飛行機を、隠したことをはっきりおぼえているんです。チビのくせに、アメリカ兵がこれを見たらまずいとでも思ったのでしょうかね。なんでそんなことをしたのか、まったくわかりません。でも四歳のぼくは隠したんですよ。いずれにしても戦争前の、ぼくの記憶にない世界は灰色にしか思えなかった。ところが親父は「いやあ、いい時代だった」って言うんです。「浅草はよかった」とかって。かつてはこれが信じられなかった。

半藤　零戦の開発がスタートしたのが昭和十二年（一九三七）。堀辰雄が『風立ちぬ』を書き上げたのも昭和十二年の終わりでした。零戦と一緒なんですよ。それから昭和十二年というのは日中戦争がはじまった年ですが、いわゆるGNP、国民総生産は近代日本最高を記録しはじめていたんです。

宮崎　ああ、そういう年なんですね。

半藤　昭和初期の金融恐慌、そして昭和四年のウォール街暴落という世界的危機をのりこえて、日本経済が近代の最高にまで上がったときでした。いちばん最高は昭和十四年でしたが。ですからある意味ではいい時代だった。二・二六事件の翌年ですから裏側では軍部がだんだん強硬になりはじめていましたがね。私たち国民、民草はそういう動きはつゆ知らず、いい時代を謳歌していたと思います。浅草なんか最高に楽しいところでした。

宮崎 はい。親父なんか二回も結婚しているのですからね。両方とも大恋愛結婚だったというし（笑）。

半藤 うらやましい話ですよ。

宮崎 いまお墓にお骨が三つ並んでいるので、親父の分だけ散骨してあげたいなと思っているんです。さぞかし居心地が悪かろうと、もう気になって気になって（笑）。

半藤 男が女にモテる。遊ぶところはいたるところにある。そういう意味じゃ、いい時代だと思います（笑）。

宮崎 そうだったんですね。それがぼくにはわからなかったんです。

半藤 昭和十二年というと私は七歳くらいです。私たち下町の悪ガキには、こんなに楽しい時代はなかったです。原っぱはたくさんありましたしねえ。

宮崎 そうでした。ぼくがもの心ついたのは戦後ですが、原っぱになっている焼け跡はいっぱいありましたね。さっき申し上げた屈辱感とは別に、そういうところで遊んだ楽しい記憶はいっぱい自分のなかにあります。

半藤　そうでしょう。

宮崎　ほんとうによく遊びました。

半藤　昭和十六年（一九四一）生まれなら戦災のあとが、はっきり脳裏に焼き付いているでしょうね。

宮崎　昭和二十三年（一九四八）、二十四年、二十五年、そのころに見た風景は、自分のなかに鮮やかに残っています。映画のなかに出てくる堀越二郎の生家の、廊下のある木造二階建

昭和 13年ごろ、こんにゃく稲荷（墨田区八広）にて夏のラジオ体操のあと。
肩を組んだ三人のうち向かって右が半藤少年

ての邸。あれはぼくが育った家の姿なんです。

半藤 そうでしたか。では堀越の上司、黒川さんの邸も実際のモデルがあるんですか。

宮崎 あれはかなりいい加減にでっち上げたものです。あとで菜穂子さんが泊まることになるなんて夢にも思わないで描いてしまった。昔、渡り廊下のある邸を見たことがありまして、たしか荻窪のほうにあった家なんですが、それを思い出しながら描きました。記憶にある渡り廊下をかなり伸ばして長くして。というのは、画面に母屋がたくさん映り込むと、たいへんな作業になってしまうんです。ですから、母屋は木立に隠れてるほうがいい（笑）。

昭和22年、栃木・宇都宮の自宅にて宮崎家の父と息子たち。向かって左が7歳の宮崎少年。真ん中が兄、右が弟

半藤　昔の日本家屋っていうのはディテールが複雑ですからねえ。

宮崎　はい。描くのたいへんなんです。たとえばカメラがあっちこっちに入ることを前提にするなら、ほんとにきちんと家を設計してつくり込んで、さらに照明やら調度品やら小物まで、すべてをつくり込まなくてはなりません。なので、今回母屋はひと部屋だけ出すことにしました。その向こう側は台所だから「障子を閉めておけばよろしい」ってことにしました。「それ以上詳しいことは見ようとしてはなりません」と（笑）。ですから玄関と居間は重点的にしっかり描き込みました。そうそう、玄関に良寛さんの書を書くように指示しておいたら、すごい字の書が上がってきちゃいましてね。

半藤　ああ、「天上大風」ですね。良寛が近所の子どもにせがまれて書いたという凧用の書。

宮崎　プロデューサーの鈴木さんが、あの字はいくらなんでもひどすぎるから、自分が書くというのです。で、彼が良寛さんそっくりではなく一寸変えて「天上大風」を書いて、それをコンピュータではめてもらったんです。前の書は

半藤　そうとう恥ずかしい出来でしたけど、これもどうかなあ……（笑）。

宮崎　だれも良寛とは思いませんから大丈夫です。

半藤　そうですよね。良寛さまの本物の書が、黒川さんの家にあるはずないですものね。

宮崎　映画のなかで堀越二郎が菜穂子と暮らした黒川邸のような家は、昭和初期にはたくさんあったように思いますねえ。

半藤　『草枕』の舞台となった熊本の小天温泉に出かけて行った話を前回しましたが、ぼく、漱石が泊まった前田家別邸の離れを見たときに「あ、これはいつか使える。おぼえておこう」と思ったんです。黒川邸の離れはあそこがモデルなんです。小説に出てくる川は架空の川でしたが、「観海寺」はモデルとなった寺が実在していると聞いて地元の人に案内してもらいました。案内してくれた人が「半藤先生が、ここに違いないと断言した」って言っていました。

半藤　そのお寺、佇まいが漱石が書いたとおりなんですよ。石段も植栽も。だから間違いなくここだと。もうこの際ここにしようと（笑）。

宮崎　峠の茶屋には「木瓜《ぼけ》咲くや漱石拙《せつ》を守るべく」という漱石の句碑が建っていて、裏側にまわると半藤さんの解説の文章が彫ってありました。

半藤　あれ、けしからんのですよ。熊本市がことわりなしに建てまして。これはもうずいぶん前のことですが、初めて熊本に行ったときに、駅でタクシーに乗って「漱石が住んでいた家が記念館になっているそうだから、そこへお願いします」と言ったらね、運転手さん、知らないって言うんです。「熊本の名所を知らないのか」と文句を言ったら、「熊本の名所は宮本武蔵ですから、宮本武蔵ならいくらでもご案内します」なんてぬかしやがって（笑）。住所を、控えていたものですから、なんとか連れていってもらいました。

その際に熊本県の知事に会ったんですよ。「なんで熊本は漱石を大事にしないんですか」と抗議したら、「加藤清正と宮本武蔵と阿蘇だけで充分なんです」と言う。私は「いやいや、もう加藤清正や宮本武蔵の時代ではない。熊本にはラフカディオ・ハーンも、漱石も縁が深いのだから、このお二人も大事にしたほうがいいですよ」と進言したんです、懇々と。すると、そのあと急に知事さんが陣頭指揮をとりだして、「漱石来熊《らいゆう》百年」とかいってはじまりましてね。

宮崎 「ライユウ」って読むんですか、あれ。ぼくはいままでライクマかと（笑）。

半藤 とにかく、知事さん、突如としてハーンと漱石に目覚めちゃった。そのあと熊本で詠んだという漱石の句の句碑が熊本市内のほうぼうに建つんです。それで句碑の説明に私の文章を勝手に使っているんです（笑）。

宮崎 そうだったんですか。それは申しわけなかったです。

半藤 宮崎さんは申しわけなくなんかないですよ。

宮崎 あ、そうか。

半藤 ですからいま熊本は『草枕』でかなり売っているんです。もうタクシーの運転手さんも「漱石の」と言うと、「ハイ、ハイ」となっているのでしょうね（笑）。小天温泉まで行く山道はミカン畑のなかを通っていくんですがね、これがなかなかいいんです。とくにミカンの花の咲くころ、そして鈴なりにミカンが生《な》るころがすばらしいです。その道はいま「草枕の道」と呼ばれているらしいです。

宮崎　ところで、軽井沢のホテルに登場したあやしいドイツ人は、モデルはソ連のスパイだったリヒャルト・ゾルゲではありませんか？

半藤　ええ、そうです。特高があちこちに簡単に出入りするようになる時期が、ほんとにこの時期なのかどうか、それはちょっとあやしいのですが。

宮崎　ちょっと早いかもしれませんけど、でもまあ、おかしくはないですよ。

半藤　ゾルゲがモデルですが、絵のキャラクターのモデルは実在する人です。東欧系のユダヤ人でアメリカ国籍。版権関係の仕事をしている知人です。若い頃に日本文学に興味をもって来日して、最初に日本語を教えてくれたのが、恋人になった京都の女性。ですから彼の日本語、じつにやさしい不思議な日本語なんです。それで彼を念頭に置いて描きました。

宮崎　映画のなかでも、不思議な日本語を話していましたね。

半藤　ええ、その本人を声優につかっちゃったんです。

半藤　あ、やっぱり。こりゃ、日本人じゃないな、と思いながら聞いていました。

宮崎　あんな不思議なしゃべり方、真似しようとしてもできないです。アメリカに住んでいるんですが、やってくれますかと尋ねたら、日本に来たくてしようがないものだから、喜んで飛んできてくれました。

戦艦長門とエネルギーの大転換

半藤　パッと一瞬出ただけなんですが、軍艦がいっぺん出てきましたね。しかも、戦艦長門《ながと》。長門は私が子どもの頃、連合艦隊の戦艦というと最初にでてくる名前でした。長門・陸奥・扶桑・山城・伊勢・日向と、五七五のリズムで並ぶ。そのあとは七七で、金剛・榛名《はるな》・比叡《ひえい》・霧島。そうやって五七五七七で覚えました。この十隻が連合艦隊の象徴のような戦艦だったんです。子ども心に鮮明におぼえているのはその長門の、特徴的な煙突のかたちです。檣楼《しょうろう》のうしろに煙突が二本ついているのですが、一本はまっすぐで、もう一本が曲がってうしろ方向に湾曲していました。ところが昭和九年（一九三四）から十一年（三六）にかけて大改装が行われて、このとき屈曲煙突がはずされてしまう。昭和十二年にはボイラーを換えてひとつの大きな煙突にされているんです。映画にでてきた「長門」の煙突はちゃんと二本で一本は曲がっていた。ですから時代考証もバッチリでした。

宮崎　いや、そこらへんはだれも気づいてくれないのではないかと思ったりもしましたが（笑）。

半藤　普通の人は知りませんけど、私みたいな軍艦好きにとっては「おお、あの頃の長門だ」となる。

宮崎　沖合にもう少し巡洋艦とか駆逐艦を置くべきだったかなと、じつはちょっと後悔しているんですが。

半藤　戦艦長門について、もうひとことだけ言わせてもらいますがね、煙突は、いちばんはじめは真っ直ぐだったんです。ところが石炭を焚くと、煙がもうもう出てどうにもならないくらい艦橋が煙の渦になっちゃう。それでなんとかならないかということになって、大正十三年（一九二四）の改装で、できるだけ艦橋から遠ざけようと、ひん曲げたんです。

宮崎　あれはとんでもない格好でしたね（笑）。

半藤　とんでもない格好になったのは石炭のせいでした。その後、エネルギーが石炭から石油になるということを日本が意識し出したのが昭和八年（一九三三）、九年ぐらいです。ところが軍部は依然としてエネルギーについて開明的な考え方を持つ人が少なくて、まだまだ石炭だと思っていたんです。

エネルギーが石油に移行することをしっかり認識しておれば、おのずから次の戦争の主役は飛行機と戦車と潜水艦になるということがわかったはずなんですよ。「飛行機も戦車も潜水艦も、重くてかさばる石炭なんか積んで走れませんからねえ。ということを見越すことができたのは、ほんとうに少数でした。海軍だって偉そうなことを言っていますが、じっさいは頭のカタイやつばっかりです。大艦巨砲主義でこり固まっている。「これからは戦艦じゃない、飛行機だ」と言っていたのは、山本五十六はじめほんのひとにぎり。

しかもそういう連中は異端者になってしまった。

宮崎 そうですね。堀越二郎も最先端にいた異端、といえるかもしれません。堀越は東京帝国大学工学部の航空学科を出るのですが、航空学科の人数はほんのわずかでした。ですから入社試験もなければなにもない。卒業して三菱内燃機製造（のちの三菱重工業）に入ってすぐに設計技師になっています。

半藤 このときは石炭から石油へ、ということでしたが、エネルギーの大転換というものは、歴史の節目節目に必ずやって来るものなんです。日本人は困ったことに、そのことに対してまことに鈍い民族なんですよ。これはいまもおなじですね。大転換に着手しなきゃいけないっていうときに、グズグズ、グズグズやっている。またぞろ原発再稼働だなどと、ほんとうにくだらないことを言いはじめています。むしろ原発を廃炉にするための技術開発にとり組んだほうがいい。なにを考えているのかと呆れますけどね。

宮崎 ぼくも福島第一原発の事故のときは、あれを支えていた体制が「旧軍」とちっとも変わっていなかったことに気づいて、もう、吐き気がしました。

半藤　まあ、それはともかく。堀越二郎の仕事は、異端の仕事としてはじまって、しかも、ものすごい勢いで進んでいる欧米を追いかけなくてはならなかった。映画の堀越は、「十年先をいく欧米に追いつかなければならない」と言っていますが……。

宮崎　けっきょく追いつくことはできませんでした。前にもお話したとおり、零戦の次は二千馬力クラスのエンジンでなければいけなかったんですが、それはできませんでした。そういうこともすべて堀越さんはわかっていたと思うんです。エンジンをつくった人の悪口は、なにも書いていませんが、でも本音としては、悪口を言いたかったかもしれません。

半藤　私も、エンジンをアメリカのエンジンに取り替えたら、もっともっとスピードが出たはずだ、と関係者から聞いたことがあります。

宮崎　日本の飛行機はみんなそうですよね。電気関係、電装関係が全部だめだったようです。燃料もだめ、点火プラグがだめ。ですから、そういうところを取り替えただけで、とんでもないスピードを出しています。

半藤　やっぱりそうなんですか。

宮崎　ええ。軍需省が中島飛行機の「誉」というエンジンを主力として採用しますけど、紫電改などにつかわれた「誉」は、高圧縮のエンジンなので、いい燃料じゃないとだめなんです。ところが、日本ではそんな燃料はもう手に入らない。

「誉」エンジンを戦後アメリカ軍が持ち帰って、一〇〇オクタン価くらいのいい燃料を使って、点火プラグを換えて電装関係をちょっとよくしたら、ピャーッと想像もできないような速力を出したそうです（笑）。設計者たちは「やっぱり飛行機は優秀だった」なんて悔し紛れに言っています。

敗戦前に、日本初のジェット機を飛ばした機体設計者たちとエンジンを開発した人たちは、もう戦争に負けるとかそういうことは何も考えないで、ただただ開発に打ち込んでいました。昭和二十年（一九四五）八月に初飛行が成功したとき、そのジェット機はちょっと飛んだだけですけど、ほんとうに感動したと言っていました。戦争も、敗戦もなかったって。それが技術者なんですね。二回目のときは離陸できなかったんですけどね。そのジェット・エンジンのもとになっているのはドイツのメッサーシュミットMe262ですが、この図面はフランスから日本の潜水艦が運んできたんです。

半藤　運んできたのは、たしか伊号第二九潜水艦です。

宮崎　はい。ドイツ人が驚いたそうです、こんなうるさい潜水艦でよくたどり着いたって（笑）。日本の潜水艦は太鼓叩いて海の中を潜っているようなものだったというんです。潜水艦はできるかぎり音を立てちゃいけないものなのに。

半藤　海のなかの音を探知する超音波探信儀、いわゆるソナーというものがありますよね。日本海軍はソナーが大事だっていうんで、学校をつくって兵隊さんを鍛えたんですよ。そして、ピンポーン、ピンポーンですか、あれ。

宮崎　そうですね。そんな音がしますね。

半藤　で、聴き取りの猛訓練をやらせて、勘がよくて耳もいいという者を、成績順に配属したわけです。ところが一番の配属先は戦艦「大和」でした。

宮崎　それ、バカですね。

半藤　そうなんです。成績下位の者をわざわざ駆逐艦と潜水艦に配属しているんです。

宮崎　海軍省もほんとうに役所なんですね、その発想が。

半藤　ガタガタガタガタガタ鳴っているようなところで、勘も耳も悪いやつがソナーやったってダメに決まっているんですよ。優等生を駆逐艦や潜水艦に乗せていればずいぶんと違ったかもしれません。情けない話ですけど、これ、ほんとうの話なんです。それで日本の潜水艦はアメリカの潜水艦に先制攻撃されてたくさん沈められている。

宮崎　電探技師も高い専門性が要求される職能ですが、じっさいのレベルはあまり高くなかったようですね。当時は「電探」と言っていましたが、レーダーですね。昭和十九年（一九四四）六月のマリアナ沖海戦のときに、その専門技師たちが箱いっぱいに真空管を持っていって、艦隊をまわったそうです。その電探技師の回想録を読みましたら、根本的には修理できないから、とにかく片っ端から真空管をつけ換えたそうです。それしか手がなかった、と。

半藤　マリアナでは電探係の士官が、敵の飛行機と日本の飛行機を間違えて「敵機、上空！」というので高角砲を撃ったら味方の飛行機を三機か四機落としてしまったという有名な話があります。

宮崎　よく味方の船や飛行機を誤認していますね。

半藤　関係者に、電探の担当はどういう人がやっていたのですかと聞きましたが、どうやら大学を出たばっかりの、新任少尉ばかりだったそうですね。偉い海軍士官たちは頭がカタイもんだから、「電探なんていう新しいものは若い大学出のやつらにやらせるのがいいだろう」ということで、要するに、みんな素人だったんです。

結局、「持たざる国」日本は国力のみならず先見性もなかったんですね。映画の中で、零戦を牛車で運ぶ場面がありましたね。名古屋の工場から各務《かがみ》原《はら》の飛行場まで丸一日かかった、というのは有名なエピソードですが、トラックでの輸送も、そのための舗装道路も、最後まで実現できなかった。非常に象徴的なシーンです。

宮崎　でも堀越さんは著書で、牛車で運ぶのも、当時の道路事情から考えると合理性があった、と書いていますね。それほどたくさん製造していないから、ゆっくり運んでもいいのだと弁護している。きっと牛が好きだったのでしょう（笑）。

中島飛行機でも、三鷹から所沢飛行場までやはり牛で引っ張っていたそうです。一部、あまりにも凸凹があるので、コンクリートで舗装したところがあって、これは今も残っています。実は『となりのトトロ』でサツキがトトロと傘をさして立っているバス停がそこなんですよ。広いのに人気がなくて、横にお稲荷さんがあるという不思議な道だったのですが、今は周りの木が切られてしまって、まるで違った景色になってしまいました。

半藤　映画の中で、ドイツから爆撃機のライセンス生産権を買い取るお金で、どれだけの国民が飢えをいやせるか、というセリフがありましたが、たしかに貧乏国家に不つり合いなほどの強大な軍事力を持とうと無理をしました。

宮崎　そういう数々の過ちを振り返ると、やっぱりこれからは「腰ぬけの愛国論」で、そしてお座敷の隅っこのほうに座っていたほうがいいです（笑）。「歴史は四十年サイクルで盛衰して行く」という半藤さんの「四十年周期説」でいくと、「失われた二十年」なんてかっこいいことを言っていないで、下降期の二十年がいま始まったばかりだと思ったほうがいいですよね。

半藤　と、私なんかはそう思っていますけどね。

「持たざる国」の将来のこと

宮崎　近頃、年をとったせいかぼくなんかもよく「この国はどうなるでしょうか」と聞かれるんですよ。若い人たちはやたら「不安だ、不安だ」と言うんですが、ぼくは「健康で働く気があれば大丈夫。それしかないだろう」と言い返しています。「不安がるのが流行っているけど、流行に乗っても愚かなる大衆になるだけだからやめなさい」と。「不安なときは楽天的になって、みんながら楽天的なときは不安になれ」とね。よくわかんないけど（笑）。

半藤 でも、大丈夫ですか、ほんとうに。

宮崎 いや、それはですね、まあ過疎地がいっぱいできるでしょうね。でも、過疎になりきったら、今度は入ってくる人間たちが出てくると思う。食い物がなくなったら、ひとは農業をやりますよ。クマやサルがいっぱい出てくるようなところになっても、しようがないから、そこで農業をやるようになると思います。人数は減るけれど、でも、年金のために子どもを産まなきゃいけない、なんて発想だけは、絶対やめたほうがいいですね。

半藤 ほんと、その発想はいったい何なんでしょうかね。

宮崎 ばかげた発想です。違いますね。年金のためじゃなく、女性は子どもを産んだほうがいいです。将来が不安だったら、子どもを抱えたほうがちゃんと生きられると思います。隣りに保育園をつくっていちばん得をしているのは、じつはぼくなんです。どんなに陰々滅々となっても、子どもたちの顔を見ると「よしッ、気を取り直さなきゃ」と思うんですよ。「君たちの未来は真っ暗だ」なんて言えませんからね。

半藤 子どもに絶望は語れませんね。

宮崎 語れない。ほんとうにそれは語れません。子どもたち見ると、自分たちが役に立つならば、なんとかして役に立ちたいと考えますから。

半藤 だから年金のためなんかじゃなく、自分たちがちゃんと生きていくために、そして将来を託すために、子どもを抱えてほしい。

宮崎 で、苦労したほうがいい。消費生活だけしていたって、ろくなことはないですよ。そう思いませんか？　じつはぼく、人類のことを考えて、子どもをつくるのは二人でやめたんですよ。友人の高畑勲監督が三人目をつくったときに「ルール違反じゃないか」と責めたら、「いや、申しわけない」とかってぼくに謝りましたが（笑）。ぼくはあとで後悔しましたね。三人でも四人でもつくっておきゃよかったって。

半藤 なんとかなるんです、ほんとはね。

宮崎 ですから「この生き方が正しい」なんて、そんなことは決めないで、いろいろでいい。困るときは、みんなで困るしかないんです。オタオタするなら、みんなで一緒にオタオタするかしかない。

半藤 では、あの映画を見た人になにを学んでほしいとお考えですか。

宮崎 堀越二郎は力を尽くしました。最後の瞬間まで軍需省と戦い、このエンジンでは求められる出力は出ないとわかっていながらも、時代遅れの飛行機を一生懸命つくっていた。しかも名古屋には敗戦直前に大地震があって……。

半藤 そう、昭和東南海地震というのがあったんですよね。昭和十九年（一九四四）十二月七日でしたか。

宮崎 ええ。それでもうなにもできなくなる。そのとき堀越二郎は、すべてから見放された設計技師でした。ですから、そこからなにを学ぶかといったら、負け戦のときは負け戦のなかで一生懸命生きるしかない、というようなことでしょうか。半藤さんはさっき「大丈夫ですか、ほんとうに」とおっしゃいましたが、いま日本では着るものも食うものも自分ではつくっていませんね。そのことは、あんまり大丈夫じゃないなあ、と思っています。三本百円のバナナをいったい誰がつくっているのか……。

宮崎 よその貧しい国の人がつくっているんですね。

半藤 はい。自分が食べるものを自分ではほとんどつくっていません。しかもいまの日本人には、この国には資源がないという発想がない。

宮崎 ないです。自活できない国だと思ってもいない。

半藤 それ、おかしいですよね。

宮崎 明治開国いらい、自分の国がいかに「持たざる国」かという発想がありません。残念ながらいまの日本人にはもっとなくなってしまいました。

半藤 でも、緑と水だけはある。二十一世紀の主要な資源は水だと主張する学者もいます。水道の蛇口をひねるとジャーッと水が出てくるから、これが主要な資源と言われても、と思われるかもしれませんが、でも、ほんとうにそうらしいです。

宮崎 いずれにしても、もしこの先困るようなことになったら、みんな一緒に困るしかない。自分の親たちも困ったし、その前の世代も困ったから、自分たちだけ困らないで生きていこうとするのは、考え方としてはおかしいのではないかと思ったりもします。

半藤　これはちょっと生臭い話ですけど、尖閣の問題、あれを棚上げしたほうがいいという意見があります。私もそう思うんですけどね。それに対して、棚上げしたら結局は将来に問題を先送りすることになるじゃないかと反論する人がいる。でも、私は最近思っているんです、三十年もたてば、世界には国境がなくなるのじゃないかと。

宮崎　ああ、やっぱり。ぼくもそう思います。

半藤　まだうまくいっていませんが、それでも東アジアが向かうべきはEUのような方向ですよ。

宮崎　ええ。それしかないですね。

半藤　ですから、三十年もたてば、あれがアジアにもできるだろう、と。そうすると国益がどうのというものはなくなるんじゃないか。制御不可能の核でいっぱいのいまの地球で、人類が生き残るにはそれしかないのですよ。

宮崎　さっきお話した、ジブリにやって来た中国人青年の、あの人懐っこさ、努力と生命力を思うと、なんだかぼくも楽観的になるんです。こんないいやつが中国にはいる。そういう若者がいっぱい来そうだから、そのうち東京も、ロンドンやパリのように人口の半分は日本人じゃない、ってことになるかもしれないです。

半藤 つまりそれが、「グローバル化」ってことなんですよ。

宮崎 はい。ぼくが住んでいる所沢では、小さな雑木林を自分たちで勝手に管理しています。まあ、市の所有ですけどね。その川べりで、日曜日ごとに掃除しておしゃべりをしていましたら、韓国のキリスト教会の人たちが来るようになって、賛美歌を歌って赤ん坊の頭をその水につけて洗礼式なんかを始めるようになったんです。その人たちは礼儀正しくて、きちんとしたよそ行きの服を着てやってくるんです。べつに排斥する理由はないから、黙って見ていたら、いまはそれがあたりまえの風景になっちゃいました。「ああ、こういうことも、たちまちあたりまえになってくるんだなあ」と思いました。

半藤 そういう異文化のようなものも、すぐに馴染んで、じきにあたりまえになり

宮崎　ますよ。つまり日本人の島国根性はなくなる。それがどのくらいのスピードで進むのかわかりませんが、少なくともジブリの人間たちは、あの中国人青年にものすごく好意を持ちましたから、もう、尖閣問題とかなんとか言っている場合じゃなくなっちゃった（笑）。

半藤　その中国人青年やジブリの若い人たちが、私らぐらいの年頃になるまでの間に、アジアの国々もずいぶん変わってくると思うんです。いや、もっと前に変わるかな。ですから、問題を先送りするというのは無責任なんかじゃないんだと思いますね。

宮崎　ぼくは、尖閣には避難港をつくって、中国も日本も台湾の漁船もみんなそこに入ることができるのがいいなあと思っています。漁民はいずれの国の漁民でも避難港が欲しいと思っていますからね。だけど、上陸はしないで、そこに住むことはしない。土産物屋をつくっちゃうとか、そういうことはやめておこうと（笑）。それに海底資源なんて、そんなものは実用化するまで何十年かかるかわかりませんから、欲かいて儲け話の尻馬に乗る必要はないと思います。二つに分けちゃうのもややこしいから、もうそっとして、みんなで使おうという。

半藤　人類はそのくらい深い懐を持ったほうがいいです。これまた「腰ぬけの愛国論」かもしれませんが（笑）。それで、おまえもそうとう年を取ったねえ、と近頃はやたらに言われるんですがね（笑）。

宮崎　みなさん、国の先行きが見えないと思っているから、中国が強くなってくると不愉快なんでしょうね。つまりやっかみですよね。いま、ジブリの美術館に中国のお客さんが来ると売店で「ここからここまで」（両手を拡げる）みたいな買い方をしていくんです。

半藤　中国人はそういう買い方をするんですか。

宮崎　ええ。それを見て、ぼくらは「う〜ん……」と思っちゃうんですけど、でもじつはそれ、日本人が高度経済成長のときに、パリだハワイだと団体で出かけて行ってやっていたことですね。ウワァ〜ッと買ってそれを親戚中に配るっていう。ぼくの親父もそうでしたけど（笑）。きっと順番にやっているんです。

半藤 日本人は、韓国に買い物ツアーとかに行けば、もしかしたらまだおんなじようなことをやっているのかもしれませんけどね（笑）。

アカの他人の善意が、人をつくる

宮崎 資源のない国は、やっぱり知恵でやっていくしかない。となったときに、水と植物というのは日本にとっては、やっぱりたいへんな資源になるらしいです。植物の古いＤＮＡを保存しているという意味では、日本の自然というのはたいしたものなんだそうでして。いや、詳しいことはわかりませんけど。

半藤 私は敗戦直前に親父の故郷の越後へ一家で越しまして、三年ほど暮らしました。越後の人たちは雪を忌み嫌っています。ですから私、よくこう言ったんです。「雪というのはあの美しい緑の樹林を育てるためにすごく役に立っているのだぞ、雪をけなしちゃいかん」と。越後の人にそう言うと「雪はそんなやさしいもんじゃねえッ」と、たいがい怒られたんですけどもね（笑）。それでもやっぱり、ドングリの実のなるブナの木も、カラマツもスギも、雪が降る日本のこの国土が育てたものなんですよねえ。

宮崎　このアトリエを建てたときに、木を切らないですむように家を建てたんです。それで十年ちょっとですけど、まわりはこんなに鬱蒼《うっそう》として、木はこんなに高くなっちゃいました。洗濯物を干す必要がないから南側も木も切らずにおくことができて、とうとうこんなに緑に覆われてしまったんです。なにが言いたいかといいますと、日本という国は木を植えれば簡単に育つんだということなんです。そしてもうひとつ。木を植えることができる地面をよこせと（笑）。そうすれば、あっという間に緑がもう……。

半藤　国土いっぱいに育つんですよね。

宮崎　ええ、育つ。ほんとにすごいです。若いときは木を切って欲しくないと思って怒っていましたが、年を取ってきたら、切られても木はまた植えられると思えるようになってきました。こっちから見るとそうでもないんですけど、向こう側の保育園からこっちを見ると、その緑のカーテンがすごいんです。チビたちはその緑を見てどういう印象を持って、なにをおぼえていくんだろう。それを想像すると、ちょっと楽しくなります。

半藤　この前お会いしたときに、「五十年もやりゃ、もういいや」などと言っておられたけれど、悠々、もう一作ぐらいは大丈夫ですね。もう一作か二作は。

宮崎　いまや期待が確信に変わりました（笑）。

じつはスタッフに、「もしジブリ倒産ということになったら、最後に『となりのトトロ2』をつくってみんなでお金を分けようね」と言ったことがあるんです。そしたらみんな、イヤ～な顔をしましてね。お客さんが入らなかったらどうするんですかって（笑）。でまかせで言ったことなのですが、やっぱりたぶんだめですね。つくれません。

というのは、『となりのトトロ』（一九八八年公開）は、日本の自然を描く初めての試みだったんです。「雑草という草はない」という、これはごぞんじのとおり昭和天皇の言葉ですが、とにかく雑草一本までもそういうつもりで描こうと。

半藤　「トトロ」の緑はほんとうに美しかったですねえ。

宮崎　それがもう、描けないんです。いまの人間たちには描けない。毎日見ている緑はもうあの頃の緑と違う色ですから。それにあのときは、心から緑を描きたいと思った人間たちがいたのですが、その後、ずいぶんとたくさんの緑を描いて参りまして、彼らは年もとったし、緑を描くのはもう飽きてきちゃっている、というような事情もあるんです。

飛行機が成田空港に降りていくときに、上空を覆う雲のなかを抜けると、突然大地の緑が広がってきますよね。この緑の景色はアメリカやヨーロッパともまったく違うもので、ぼくはいつも感動するんです。ところが地面が近づくにつれて、どんどん道路が見えてきて倉庫やなにかいろんな建物が現れてくる。森には竹が伸び放題で、荒れている様子もだんだんわかってくる。要するに、実写で大地にしたたる緑を描き出すことは、この国ではもう無理なんです。どこへ行ったって地面には道路が走っています。

半藤　空中には高圧線も走っていますしねえ。

宮崎　そのすべてをコンピュータで消すのか、と。ですからもうアニメーションでしか描けないわけですが、ところがアニメでも、いざ描くとなると、やっぱり実際に見ていない人には描けない。

半藤　うーん、成田がだめなら田舎の空港はどうでしょうかね。たとえば青森空港とか。

宮崎　今回の映画では、いまからロケハンして新たに勉強してもらっても間に合わないと思いました(笑)。ですからぼくはスタッフに、古い写真集を出してきて「これが多摩川で、このまわりが日野。ほら、なにもないだろう」とか言って見せました。「これが甲州街道だよ」とかって。でも、それではイメージが広がらないんです。子どものときの記憶がないとやっぱりだめなんだと思います。

半藤　ほう、そういうものなんですか。

宮崎　ですから、アニメーションでも無理だなあ、と思いました。「トトロ」を描いていた頃は、まだ都市近郊に、日本在来の植物がいっぱい生えていたんです。ところがいまは帰化植物ばかりになってしまいました。

半藤　エッ？　在来種がありませんか、いまは。

宮崎　家内の方がくわしいのですが、ほんとに少なくなっているようです。ですから、草むらがあってもウマオイが鳴かないんですよ。スイッチョン、スイッチョンと鳴くあのウマオイがいなくなっちゃった。ガチャガチャガチャガチャ、クツワムシもです。コオロギはバカだからどこでも鳴いてますけど（笑）。そういう虫が棲む在来の草むらを探すとなると、まだ宅地開発が進んでない、古い雑木林の縁なんかにちょこっとあるとか、その程度です。

半藤　ああ、ガチャガチャとかああいうのを聞かなくなったのは、そのせいなのか。私の子どものころは、向島でもスイッチョンとかガチャガチャが、そこいらじゅうで鳴いてましたよねえ。

宮崎　もう、在来の草むらがなくなりました。あるのはたぶん皇居と……。

半藤　あそこには全部の虫がいますよね。

宮崎　それから那須の御用邸のそばに「ぼんばっ原」、盆花《ぼんばな》にする昔からの草がたくさん生える原っぱがあって、昭和天皇が「ここはいいですね」と言ったので、地元の人たちはそのまま残しているのですって。その原っぱには、毎年ウワァ〜ッと秋の七草が咲き乱れるそうです。
いい土手だなと思っていても、ある日突然道路工事がはじまって、とたんに消えちゃう。ブルドーザーが一回入ったところはダメですね。除草剤を撒いたところもダメ。ですから畑もダメです。帰化植物がすぐに入ってくる。

半藤　なるほどねぇ。日本の在来種ってものは、か弱いんですね。

宮崎　ただね、取り返せないこともないんです。ぼくら地元で運動して、開発されそうな某所を市に買い上げてもらうことになったんです。そこに取り憑かれたようなひとりの男が現れまして（笑）、「この土地を在来種の植生にするゾ！」と言い出した。ボランティアを集めて、帰化植物を片っ端から引き抜いたんです。抜いて、生えてくると、また抜いて、と繰り返した。すると面白いことに、最近の帰化植物が消えて、その前の帰化植物が出てきたんです。たとえばキクイモとかね。

半藤 へえ、そういうものですか。

宮崎 ええ。それらもまた我慢強く抜いたんです。そしたら、ついにイチリンソウの大群が育ってバーッと一斉に花を咲かせたんです。これにはぼくもびっくりしました。小さい面積ですけれど、花畑になったんですよ。人間がいっぱい来ちゃうからどこかは言えません。ぼくらは市長にも言いません。市長は公僕だから、市民に言わなきゃいけない義務を負っている人だから、教えてあげないんです（笑）。その再生させた在来種の草むらを歩いていると、「サヤサヤいっている」と女房が言うんです。ぼくも、「ああ、きれいだな」って。

半藤 やっぱり諦めちゃいけませんね。

宮崎 はい。この国には、緑の潜在力がすごくある。ぼくはそう思います。

半藤 「緑と水」といえば、川や海の水もかなり回復力があるものらしいから、こっちも浄化に努力しながら諦めずに待ちますか。根気よくね。

宮崎 ええ、ぼくもカミソリ護岸になる前の隅田川をちょっとは知っておりまして、両国から親戚中で船に乗り込んで、幕張のあたりまで潮干狩りに行ったこともあります。幕張の海は、澄んだ浅い海でした。あれは昭和二十五年（一九五〇）か二十六年か。

半藤　あのころの東京湾の水は澄んでいましたねえ。

宮崎　ええ、ほんとに。アサリとハマグリ、マテガイや、シジミまでとれたんです。

半藤　あのお台場はどこへ行っちゃったんだろう。

ほんとにねえ。私も、ボートを漕いでよくお台場まで行きました。いいところでした。あそこへ上がって一時間ぐらい昼寝して、また向島に帰ってくるんですけどね。

宮崎　ぼくは『隅田川の向う側』のボートのあのくだりはほんとに好きで、何度も読みました。半藤さんは浦和高校と東大と、ずっとボートを漕いでこられたわけですが、大学四年のときについに一位になった、あの経験は半藤さんにとって大きかったのではないでしょうか。

半藤　昭和二十七年（一九五二）の「全日本優勝」のことですね。前年二十六年の三年生のときには五〇センチの差で慶応に負けて優勝を逃して、ヘルシンキ・オリンピックに行きそこないましたからねえ。

宮崎 そのときはずいぶん悔しい思いをされたでしょうけれど、その翌年に一位に。ぼく、そのことが半藤さんをつくっているような気がします。ちょっと口はばったい言い方ですけど、地道に根気よく、つらいことでも頑張って続ければ努力はいつか実る。あの一等賞があったから、半藤さんは、きっとそういうことを信じてこられたのではないかなあ、と。

半藤 いやいや、それほど偉いもんじゃないです（笑）。

宮崎 東京大空襲に十四歳で遭われたときに、ほんとに地獄のような惨憺たる景色を見てしまった。でも半藤さんの東京大空襲は、それだけではありませんでした。命からがら避難した中川で、小舟の上から落ちて、溺れ死ぬ寸前に別の舟に乗っていた人に助け上げられた。

半藤 なんとか浮き上がって水面に顔を出したとたん、襟首をつかまれて強く引かれました。つづいて太い腕がヨイショと私を軽々と舟に引きあげてくれました。みんなが自分の命を守ることだけで精一杯でしたから、あのときそういう親切に出会えたのは奇跡的でしたね。

宮崎　そして、その翌朝に、見ず知らずの人が半藤少年に靴を一足渡してくれたんですよね。

半藤　これまたよくごぞんじで（笑）。履いていたゴム長靴は、中川で溺れたときに両方脱げて失くしてしまったんです。焼け跡は瓦礫《がれき》や針金、金属の破片といったものが散乱していてもう無茶苦茶な状態ですから、とても靴なしでは歩けません。もらったドタ靴のおかげで私は歩き出せたんです。

宮崎　あんな、想像もできないほどの酷い状況でも、舟の上に助け上げてくれた人がいた。通りがかりの少年に靴をくれた人がいた。ぼく、そのことが、半藤さんをつくっているんだと思います。

半藤　たしかにそれは一生忘れられませんよね。

宮崎　おなじ向島でも、堀辰雄は関東大震災に遭って隅田川に飛び込んで、通りがかりの舟に泳ぎ寄ったけど舟も人がいっぱいで助けてもらえずに突き放された。そのあと「たっちゃん」という声がして、知人に助けられたそうです。彼のなかでは突き放されたことのほうが大きいのではないかなあ、と。

半藤　ああ、なるほど。堀さんのやさしさはそこに発する。

宮崎　いっぽう半藤さんは顔も知らないアカの他人に二回も助けられたことをとても大事にされている。やっぱりこのことは、半藤さんを支えているのではないかと思います。

ぼく、半藤さんにお会いできてほんとうに嬉しかったです。この前、お帰りになったあと、鈴木プロデューサーに「八十三歳であんな方がいらっしゃるんだから、八十三歳くらいまで生きるのは悪くないね」って話してたんです。こういう大先輩がいるんだと思うとほんとに……。

半藤　ヨーシ、こうなったらうんと長生きして、やっぱりもう一作、宮崎さん、待とうじゃないの（笑）。

宮崎　いやいや、それはちょっと待ってください（笑）。

おわりに

本書の最初の挨拶「はじめまして」にあるとおり、わたくし（半藤）は宮崎駿監督とはかつて一面識もなく、ほんとうに初対面でした。監督が「話をするなら」といってわたくしの名をあげたと編集者に聞かされたとき、正直にいって「まったく存じない人とこの年になって」と、ほんの少し遅疑《ちぎ》逡巡《しゅんじゅん》するものがありましたが、そこは生来の好奇心が先に立って、むしろ「世界の宮崎さんに逢える」と嬉々として承諾いたしました。そして前後二回にわたって合して七時間余の対談が実現し、前もって何の打ち合せもなく自由気儘《じゆうきまま》に話し合い、些事を削り落としてまとめたのが本書というわけです。

初対面の対談となると、どうしたってぎこちなくなるのが普通ですが、のっけから夏目漱石が登場してきて、しかも好きな作品が『草枕』ときては、たちまちに意気投合（？）と相成りました。あとはもうのべつ幕なしの、そうです、物騒《ぶっそう》な形容ですが、二〇ミリ機関銃の連射のような、楽しい対話でありました。

わたくしは演説や講演を好みませんが、人の話を聞きながら、あるいはみずから喋りながら、あれこれ考えることは大好きです。つぎからつぎへと人の話から連想が湧いてくる、それを抑えながら聞いていて、話が終ったとたんにそれを滔々と……いや、少々口下手なのでそうはいかないことが多いのですが、とにかく吐露していくのがすこぶる愉しい。何かひらめくものを会得するのもそんなときですが、こんどの場合はまさにそうでした。

そのなかで一つ無念なのは、世界航空史および日本の飛行機にたいするわたくしの力不足でした。零戦に関しては少々のことはわかっていますが、カプローニ伯爵やフーゴー・ユンカース博士のこととなるとたちまちお手上げ。対話はつねに肝胆相照らす必要なく、ときには意見の少しく異なるほうが弾むものですが、ただいっぽう的に拝聴するだけではそれもならず、宮崎さんはさぞややりにくかったことでありましょう。でもそれを押し隠して相手になって下さったことに、頭をかきかき感謝したいと思います。

そしていまは、読者にとってこの本が面白く読め、かつ、対話の愉しさが感じられるものであることをひたすら祈り、もしそうであるならば望外の喜びとするものです。話はいくらか觔斗雲《きんとうん》に乗って天空を駆け廻る孫悟空のように、いや、旋回性能抜群の零戦のように、ひらりひらりと、ここと思えばまたあちらへの感がなきにしもあらずかもしれませんが。

タイトルを『腰ぬけ愛国談義』としました。はじめはそんな生ぐさい話をするつもりはなかったのですが、いまの日本はまさに「山雨《さんう》来《きた》らんと欲して風楼《ろう》に満つ」の相貌を呈しています。前途暗澹にして不安。いまこれを書いているとき、外では参議院選挙の宣伝カーが政党名を連呼しています。おのずと老齢二人（宮崎さんには失礼ないい方ですが）の話には、自分たちも含めてこれからの日本人は生きるためにいかなる意志をもち選択をすべきか、という大課題にふれることになります。

そして何となくそれが本書のメイン・テーマのようになりましたことから、このタイトルになりました。

いまの日本の政治は期末利益優先の株式会社の論理で国家を運営している。わたくしにはそうとしか見えません。とにかく目先《めさき》の利益が大事であって、組織そのものの永続は目的ではない。自然資源や医療や教育や自活の方策など、国民再生産の重要課題などは後回しで、その日暮しで、国民の眼くらましとなる利益のあがる政策最優先です。

たとえば、日本の美しい山河が失われたあとどうするのか。人口の激減はどうするのか。もちろん、早急に手を打っても結果が出るのはずっと先き、五十年後かもしれません。そんな未来はいまの日本の政財官の指導者たちは考えないようです。でも、「国家百年の計」という言葉があるように、百年スパンでことを考え構想し、それへ一歩踏みだすのが国家運営の責任をもつ人たちの仕事だと思うのです。

そんな憂えがわたくしにあって、宮崎監督にふと問いかけてしまったのです。たいする宮崎さんの答えは本文にしっかりと残されています。読んでいただければわかりますが、一言でいえば、まさしく堀辰雄の小説『風立ちぬ』の題辞《エピグラフ》そのものです。

風立ちぬ、

いざ生きめやも。

お先き真ッ暗であっても、いや、真ッ暗であることによって、人間はより生きる意志の強さや美しさや悲しさを知ることができる。若い人々よ、希望というもの、理想というものを捨てることなかれ、ということだと思います。それはまた宮崎監督の最新作の映画『風立ちぬ』の主題でもあるのです。

わたくしはこれに心から賛成です。ではありますが、もともと海軍贔屓《びいき》の傾向のあるわたくしは、旧海軍が伝統としていた「列外のもの発言すべからず」を信条としています。責任ある衝《しょう》にないものは余計な発言をなすべからず。これです。それで勇ましくもなく、声も小さく、ぼそぼそと〝腰ぬけの愛国論〟をつぶやくばかりなのです。なにしろ日本の明日にはとうてい責任をもてない老耄《おいぼれ》なのですから。

ともあれ、二回にわたる対談はまことに貴重な時間でした。「朋《とも》あり遠方より来たる、また楽しからずや」、『論語』にあるこの言葉はいろいろに解釈されるようですが、人との出会いが人生の楽しみであることは確かであると、あらためて気づかせられました。

わが力不足もあってまとまりを欠いた長話となった対談を、要領よくかつ読みやすく構成してくれた石田陽子さん、それといまの出版状況下では考えられないほど超短期間に、とにかく一冊の本にまとめるため、これまた超人間的な努力を傾けてくれた児玉藍さん、特に誌してこのお二人に感謝の微意を表したいと思います。

二〇一三年七月

半藤一利

本書は文春ジブリ文庫のオリジナルです

構成　石田陽子
本文デザイン　加藤愛子（オフィスキントン）
目次イラスト　宮崎 駿
協力　鈴木敏夫　田居因　細川朋子（スタジオジブリ）

文春ジブリ文庫

半藤一利《はんどうかずとし》と宮崎駿《みやざきはやお》の腰《こし》ぬけ愛国談義《あいこくだんぎ》

2013年 8月10日　第1刷
2023年 9月30日　第4刷

著者　半藤一利《はんどうかずとし》・宮崎《みやざき》　駿《はやお》

発行者　大沼貴之
発行所　株式会社文藝春秋
東京都千代田区紀尾井町 3-23　〒 102-8008
TEL 03・3265・1211㈹
文藝春秋ホームページ　http://www.bunshun.co.jp
落丁、乱丁本は、お手数ですが小社製作部宛お送り下さい。
送料小社負担でお取替致します。

印刷・製本　図書印刷

Printed in Japan　ISBN978-4-16-812201-9　定価はカバーに表示してあります

文春ジブリ文庫

（　）内は解説者。品切の節はご容赦下さい。

風の谷のナウシカ
ジブリの教科書1
スタジオジブリ　文春文庫　編

凶暴な美しさを秘め、友愛を体現する唯一無二のヒロイン・ナウシカ。当時の制作現場の様子を伝える貴重な資料に加え、その魅力を立花隆、内田樹、満島ひかりら豪華執筆陣が読み解く。

G-1-1

天空の城ラピュタ
ジブリの教科書2
スタジオジブリ　文春文庫　編

児童文学の系譜からみたラピュタの魅力とは？　一九八六年公開の『天空の城ラピュタ』の奥行きを、森絵都、金原瑞人、夢枕獏、石田衣良、上橋菜穂子ら豪華執筆陣が読み解く！

G-1-2

となりのトトロ
ジブリの教科書3
スタジオジブリ　文春文庫　編

森のヌシ神としてのトトロ像から、昭和三〇年代の日本の食卓まで、あさのあつこ、半藤一利、川上弘美ら豪華執筆陣が作品を解き明かす。背景美術・男鹿和雄の世界もカラーで掲載。

G-1-3

火垂るの墓
ジブリの教科書4
スタジオジブリ　文春文庫　編

文芸的アニメーションとして世界的に高い評価を得ている『火垂るの墓』——山田洋次、與那覇潤、妹尾河童ら豪華執筆陣が、戦争とアニメーション表現の本質について掘り下げる。

G-1-4

魔女の宅急便
ジブリの教科書5
スタジオジブリ　文春文庫　編

魔女のキキが飛べなくなること、黒猫のジジと言葉が通じなくなること、働くということ……。内田樹、上野千鶴子、青山七恵らが、少女の成長物語の金字塔「魔女宅」の魅力を読み解く！

G-1-5

おもひでぽろぽろ
ジブリの教科書6
スタジオジブリ　文春文庫　編

私はワタシと旅にでる。——27歳と小学5年生の自分との間を行き来しながらタエ子は何をみつけるのか。制作現場の証言を収録しながら岩井俊二、村山由佳、香山リカらが読み解く。

G-1-6

紅の豚
ジブリの教科書7
スタジオジブリ　文春文庫　編

宮崎駿監督作品の中でも根強い人気を誇る作品の魅力を、万城目学、佐藤多佳子らを筆頭に人気作家陣・学者たちが読み解く。アニメーター達の貴重な当時の証言やイラストも多数収録。

G-1-7